> *On a l'droit de tout dire icitt'*
> *même la vérité.*
> *On a l'droit de tout' faire*
> *même rien.*
> *Y'a rien qu'icitte qu'on est ben.*
>
> Richard Desjardins

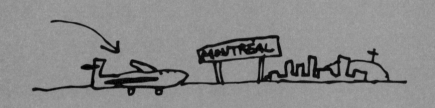

Guide
de survie
des Européens
à Montréal

Hubert Mansion

ULYSSE

Auteur : Hubert Mansion
Éditeur : Olivier Gougeon
Adjointes à l'édition : Annie Gilbert, Nadège Picard
Correction : Marie-Josée Guy
Conception graphique et mise en page : Pascal Biet
Conception de la page couverture : Marie-France Denis

Photographie de la page couverture : la 25e Avenue enneigée, dans le quartier Rosemont © Roland Tremblay

Remerciements :

À Christine Ouin et Marc Britan, à Daniel et Olivier d'Ulysse, sans lesquels ce chef-d'œuvre n'aurait pas été si génial. Merci à Pascal Biet, Lise Bisson, Rachel Cloutier, Sophie Ginoux, Sophie d'Hughes, Laurent Juvanon, Anne Kinart, Chham Phoeuk, Jérôme Pruneau, Louis Senay et Emilia Tamko.

Guides de voyage Ulysse reconnaît l'aide financière du gouvernement du Canada par l'entremise du Programme d'aide au développement de l'industrie de l'édition (PADIÉ) pour ses activités d'édition.

Guides de voyage Ulysse tient également à remercier le gouvernement du Québec – Programme de crédit d'impôt pour l'édition de livres – Gestion SODEC.

Écrivez-nous

Nous apprécions au plus haut point vos commentaires, précisions et suggestions, qui permettent l'amélioration constante de nos publications. Il nous fera plaisir d'offrir un de nos guides aux auteurs des meilleures contributions. Écrivez-nous à l'une des adresses suivantes, et indiquez le titre qu'il vous plairait de recevoir.

Guides de voyage Ulysse
4176, rue Saint-Denis, Montréal (Québec), Canada H2W 2M5, www.guidesulysse.com, texte@ulysse.ca

Les Guides de voyage Ulysse, sarl
127, rue Amelot, 75011 Paris, France, voyage@ulysse.ca

Guides de voyage Ulysse est membre de l'Association nationale des éditeurs de livres.

Catalogage avant publication de Bibliothèque et Archives nationales du Québec et Bibliothèque et Archives Canada

Mansion, Hubert, 1960-

   Guide de survie des Européens à Montréal

   3e éd.

   Comprend un index.

   ISBN 978-2-89464-902-2

   1. Montréal (Québec) - Guides. 2. Montréal (Québec) - Mœurs et coutumes - Humour. 3. Européens - Québec (Province) - Montréal - Humour. I. Titre.

FC2947.18.M36 2010   917.14'28044   C2010-940081-X

À Rebecca

Table des matières

Table des matières

Table des matières

Hubert Mansion, survivant européen depuis plus d'une décennie, s'est sacrifié à la beauté des Montréalaises, à la pureté de l'hiver, aux *bagels*, et à la douceur de vivre dans la Belle Province pour dire aux Européens et rappeler aux Québécois que Montréal devient l'une des plus importantes métropoles francophones du monde.

Il est également l'auteur, entre autres ouvrages, de *Vivre le Québec libre* (Agence Serendipity), *101 mots à sauver du français d'Amérique* (Michel Brûlé) et *Chibougamau, dernière liberté* (Michel Brûlé).

Avertissement

Étant donné que l'auteur de ce guide est un irresponsable pour ne pas dire un vrai malade, l'éditeur décline toute responsabilité en cas de perte ou de dommage qui serait causé par une erreur ou une omission.

Ce livre est destiné uniquement à la lecture (à l'intérieur et à l'extérieur exclusivement). L'usage du guide sous la douche pourrait entraîner des taches d'humidité sur les pages. Ne pas employer comme protection contre les tornades, comme prévention contre les hémorroïdes ni même comme test de grossesse. Ne convient pas aux enfants ne sachant pas lire.

Pour un résultat optimal dans le noir, allumez la lumière.

*Pour toute plainte, **hubert@hubertmansion.com***

Les **chiffres** et les **lettres**

La deuxième semaine, on a compris que breuvage signifie boisson, ustensile couvert, chum copain, bienvenue de rien, poutine n'essayez pas, liqueur, tout ce qui se boit sauf l'eau ; que job a changé de sexe en passant l'Atlantique, que gang se prononce «gagne» et que le mot de Cambronne se dit avec un *a*, quand on suggère de la manger. Il faut six mois, ensuite, pour comprendre le sens exact de niaiseux, trouver l'équivalent précis de magasinage, cédule et pogner ; pour saisir que versatile n'est pas pantoute employé dans le sens du dictionnaire. Et il faut tout un hiver pour comprendre l'expression «tempête de neige» qui suppose de la neige mais pas forcément de vent et encore moins de tempête. Il faut ainsi plus de temps pour s'acclimater au langage qu'à la température : mais quand on l'a fait, il reste tout à comprendre.

Car il y a les mots anglais qu'on ne prononce qu'avec l'accent américain. On ne dit pas «party» mais «pa*RTÉ*» ; il y a les mots français auxquels on ajoute des *t* à la masse ; on doit dire «icitte» pour ici, «au boutte» pour au bout, et même «j'ai faite mon devoir de français». Mais cela n'est encore rien.

Car outre les mots, il y a les formules, tu le sais-tu ? On ne dit pas «ensuite» mais «ensuite de ça» qu'il faut prononcer «ensuite de tso». On ne dit pas une amie, mais une amie de fille. Pourquoi ? On n'en sait rien. Quand on émigre, on ne juge pas : si l'on trie, on ne peut pas tout connaître. Et quand on a compris tout ça, on n'a rien compris.

Car il reste à comprendre le principal : ce que tout cela veut dire. Qu'un Québécois disant «çô lô» indique son désaccord, comment pourrait-on le savoir avant de l'avoir subi ? «Çô lô» ne désigne pas un objet qui serait quelque part, mais l'état d'un Québécois au bord de l'implosion ; où pourrait-on l'apprendre autrement qu'ici ? Les étrangers prétendent qu'un Québécois ne dit jamais non en face. Peut-être que ce mot n'existe pas, en effet, car on l'entend rarement. Mais il y en a deux qui le remplacent et qui sont pires : quand, après avoir dit «çô lô», un Québécois finit par «lô lô», il dit à la fois : *f* you* pour les Américains, *aux armes citoyens* pour les Français, *fa fan culle* pour les Italiens et tous à l'abri pour tout le monde : ce n'est peut-être plus du français, ce n'est pas encore de l'espéranto et ce ne sera jamais de l'espagnol. Mais ceux qui n'ont pas compris le comprendront dans cinq secondes.

Leçon de survie

Les mots

Il est très dangereux de corriger les Québécois : il suffit de les traduire. Parfois il faut, dans la même minute, traduire leur français en anglais et leur anglais en français pour comprendre quelque chose et c'est sans doute pourquoi l'Immigration favorise les candidats bilingues. Rue Saint-Denis, il y a ainsi un restaurant où l'on affiche **Chiens chauds** mais quand on en commande, la serveuse demande si on le veut *alldressed* (prononcer «**ôldress**»). Elle demande la même chose pour les «hambourgeois». Le fait ne date pas d'hier car en 1902, un voyageur français avait noté cette inscription vue à Québec : «Prohibé d'outrepasser les prémises».

Ceci dit, les Français devraient arrêter de m'énerver avec leur problème d'«accent québécois». Premièrement, il est heureux que les gens aient un accent. C'est pourquoi je ne reproche pas aux Parisiens le leur (qui est souvent franchement agaçant) ; deuxièmement, l'accent qu'ils reprochent à nos amis ne vient pas du Québec mais de France, précisément de Normandie ; troisièmement, il serait plus utile, pour les Français, d'apprendre à parler l'anglais que de critiquer le français des autres, non ?

Enfin, contrairement à une idée répandue chez les Européens, Montréal a toujours été bilingue et il est heureux que le français qu'on y parle soit différent d'ailleurs : le jour où nous parlerons tous de la même manière, qu'aurons-nous à apprendre aux Ricains ?

Statistiquement à Montréal vous avez :

37 % de chance de rencontrer quelqu'un qui ne parle que le français ;

10 % qu'il ne parle que l'anglais ;

49 % qu'il parle les deux langues ;

4 % qu'il ne parle ni l'une ni l'autre.

Au Canada, 6,3 millions de gens n'ont aucune des deux langues nationales comme langue maternelle alors qu'il n'y a que **6,9 millions de francophones** dans tout le pays (22 % de la population totale).

Les Américains trouvent que les Canadiens anglophones ont un accent particulier uniquement quand ils prononcent la lettre *z*. Ils disent « zed » au lieu de « zee ». Fabuleux comme info, non ? On reconnaît également les Belges à leur manière de dire 8, qu'ils prononcent « wouit ».

On sait tous en arrivant que les Québécois disent **char** pour « voiture » et **bienvenue** pour « de rien ». De leur côté ils savent, en débarquant en France, qu'on dit **parking** pour « stationnement » et **chat** pour « clavardage ».

Inversement, il y a des mots de notre vocabulaire courant qu'ils ne comprennent pas. En dehors de tout folklore, cela pose parfois des problèmes pratiques réels et il faut donc consulter les lexiques suivants :

1. Lexique québécois-français

Quand ils disent	Ça veut dire
abreuvoir	fontaine
achaler	énerver
affidavit	déclaration sous serment
agacer	titiller
aiguisoir	taille-crayon
allô	bonjour
amie de fille	amie
aréna	stade de hockey
aréoport	aéroport
arrêt	stop

Quand ils disent	Ça veut dire
Autochtone	Indien
balayeuse	aspirateur
bas	chaussette
barrer (une porte)	verrouiller
baveux	insolent
bonjour	au revoir
bec (un)	baiser (un)
bibitte	insecte
bitcher quelqu'un	déblatérer sur lui
blé d'inde	maïs
blonde	petite amie
brassière	soutien-gorge
brocheuse	agrafeuse
broche à foin	bancal, bordélique
brosse (prendre une)	prendre une cuite
brûler (un CD)	graver
cabaret	plateau
caller un meeting	organiser une réunion
camisole	débardeur
canceller	annuler
canne	boîte de conserve
cantaloup	melon
capoter	flipper
cartable	classeur
céduler	planifier
cenne (une)	cent (un)
chandail	t-shirt/sweet-shirt/top
change	monnaie
chat sauvage	raton laveur
chauffer une voiture	la conduire
chevreuil	cerf de Virginie
chialer	se plaindre
chum	petit ami
code NIP	code Pin
communautés culturelles	immigrés
condo	appartement dont on est propriétaire
contracteur	entrepreneur
craque	selon le contexte, fente des fesses ou du décolleté
crayon	Bic
croche	mal foutu
cruiser (« crouzer »)	draguer
cueillette	retrait d'un document par un coursier
débarrer	Ouvrir
de même	comme ça
denturologiste	dentiste prothésiste

Quand ils disent	Ça veut dire
dispendieux	très cher
douillette	couette
échapper (quelque chose)	laisser tomber
écœurant	fantastique
écouter un film	regarder un film[1]
efface (une)	gomme
en tous cas	bref
épinglette	pin's
éventuellement	finalement
fête	anniversaire
filer	se porter
filière	armoire
fin	gentil
fin de semaine	week-end
fiter	ajuster
fly (une)	braguette
flabergasté (e)	abasourdi (e)
flo	enfant
flusher	jeter, virer
football	football américain
frencher	embrasser avec la langue[2]
foufounes	fesses
gang (une)	bande
gaz	essence
geler	anesthésier
gosses	testicules
gosser	bricoler
grippe	rhume
granola (un)	hippie écologique
guidoune (une)	pétasse
joual	patois indigène
kétaine	ringard
lâcher un call	faire un appel au téléphone
le monde	les gens
magasiner	lécher les vitrines
maganer	abîmer
manette	télécommande
maringouin	moustique
matante	ma tante, ringarde
mêlant	compliqué
mêlé (être)	être confus
millage	kilométrage

[1] *Provient de l'époque où la télévision n'émettait pas d'images.*

[2] *En pratique : poser les lèvres sur la bouche du (de la) partenaire. Au moment où il (elle) l'ouvre pour respirer, y introduire subrepticement mais virilement (délicatement) la langue. Si l'indigène répond « Stie d'câlice ! », ne pas recommencer.*

Quand ils disent	Ça veut dire
mononc	mon oncle, ringard
mope (une)	serpillière
moufette	putois
napkin	serviette de table
niaiser	faire marcher
Nioufi [3]	Belge (C'est l'histoire d'un Belge…)
odomètre	compteur kilométrique
ôldress	tout garni (se dit à propos des hot-dogs et des pizzas)
oubedon	ou bien
pain brun	pain gris
pamphlet	dépliant publicitaire
pantoute	du tout (pas pantoute : pas du tout)
patente	chose, truc
par exemple	par contre
party (« parté »)	Soirée
party de Noël	fête pouvant tourner à l'orgie
peut-être	non
peser sur	appuyer
PFK	KFC
piasse (une)	dollar
pièce de 30 sous (une)	pièce de 25 cents
piton	touche de clavier
pitonner	taper
pitoune	gonzesse [4]
placotter	bavarder
plate	ennuyeux
poche	mauvais, nul
pot	marijuana
poudrerie	fine neige chassée par le vent
pouceux	auto-stoppeur
prélart	linoleum
rapport d'impôt	déclaration de revenus
réchauffer un café	en resservir
régulier	normal
République (La)	République dominicaine
salle de bain	toilettes
sauf que	mais
serrer	ranger
sloch	neige sale et fondue qui fait « slotch »
sontaient (ils)	étaient (ils)
sous-marin	sandwich

[3] *Vient de Newfoundland (Terre-Neuve).*

[4] *Selon certains experts, pitoune signifie aussi « troncs d'arbres ébranchés et coupés à la bonne dimension pour la fabrication du papier ». Rare dans cette acception à Montréal, mais on a retenu la notion de « coupé à la bonne dimension ».*

Quand ils disent	Ça veut dire
steamé	cuit à la vapeur
stie de	*!$?? de
soccer	football
sou	cent
sou noir	pièce de un cent
spécial	solde
suçon	sucette
sucette	suçon
sur le pouce (voyager)	faire du stop
tabarnak	tabernacle
tabernacle	bordel de merde
table d'hôte	menu du jour
tanner	ennuyer
tape (« tépe »)	ruban adhésif
temps des fêtes	du 15 décembre au 34 décembre
téteux	pointilleux
ticket	PV
toune	chanson
transiger	faire des affaires
Tremblay	Dupont
tu	vous
tuque (une)	bonnet
vente	solde
versatile	ayant de nombreux dons
VTT	squad
wiper	essuie-glace
Youèss	U.S.

Les expressions

Les expressions méritent également une traduction car elles sont pour nous, et même après des années, tout à fait incompréhensibles.

« M'am starter un bill »

Pourquoi dire : « Je compte consommer plusieurs boissons alcoolisées dans votre sympathique établissement, de sorte qu'il serait plus efficace d'un point de vue managerial de les noter systématiquement et de me présenter l'addition en fin de nuit plutôt que venir me demander de payer après chaque verre » alors qu'on peut simplement dire : « M'am starter un bill » ?

2. Lexique des expressions courantes

Quand ils disent	Ça veut dire
adresse civique	numéro de maison
arrive en ville	réveille-toi, sois réaliste
benvoyondon	ça alors
ça fait changement	ça change
c'est de valeur	c'est dommage
ce s'ra pas long	ça va prendre un certain temps
c'est complet ?	le compte est juste ?
chez eux	chez lui (elle)
chez nous	chez moi
crisser son camp	partir
donner du lousse	donner du mou
donner un quiou	donner une information
être chaud	être saoul
faire de quoi	faire quelque chose, réagir
faire son (sa) fraîchié(e)	faire le malin, le prétentieux
fait frette en titi	on se les gèle
fait que	(se dit quand on a rien à dire)
garrocher une patente	lancer un truc
icitte	ici
j'ai mon voyage	j'en ai assez ou je n'en reviens pas
mange de la marde	(interjection inconvenante)
mets-en ! (« mèzan »)	tu l'as dit ! Et comment !
numéro 1	parfait
œufs tournés	œufs sur le plat cuits à l'envers
on vous a répondu ?	on s'occupe de vous ?
pas pire	pas mal
petite vite (une)[5]	baise express (une)
se pogner le cul	s'ennuyer
serdon la balayeuse dans la dépense	range l'aspirateur dans le placard
stie d'câlice	expression de mécontentement
stie d'câlice de ciboire	expression de sérieux mécontentement
ta-ben-jwi ? (expression amérindienne)	as-tu aimé notre nuit d'amour ?

[5] *Du latin « quick fuck ».*

Quand ils disent	Ça veut dire
t'as pas un type pour la waitress ?	as-tu du pourboire pour la serveuse ?
tranquillement pas vite	peu à peu
veux-veux-pas	qu'on le veuille ou non
vadontoé	*you're kidding me*
votre appel est important pour nous	attendez que quelqu'un décroche
y a pas personne	il n'y a personne
y mouille à siaux	fichtre, quelle pluie diluvienne

Interjections stupéfiantes

Quand ils disent	Ça veut dire
ayoye	wouaw
fiou	ouf
oh boy	oulala
ouache	beurk
opelaï	olé
wouin	ouais

Le cas de merci

Merci est un signe d'acquiescement. De sorte que quand un Européen dit merci en hochant négativement la tête (non merci, je ne veux plus de poutine), il provoque chez le serveur un blocage du système cortico-cérébral avec envoi massif de noradrénaline contradictoire, sans parler des hormones de synthèse incapables précisément de faire la synthèse, ce qui engendre l'afflux d'une nouvelle poutine sur sa table. Il fallait simplement dire « non ».

Alors que nous ne comprenons pas le leur, les Québécois comprennent très bien notre vocabulaire. Mais il y a quelques exceptions.

3. Lexique français-québécois

Si vous voulez dire	Dites
agrafeuse	brocheuse
au revoir	bonjour
bonjour	allô
bic	crayon
caddie	carrosse
café (un)	expresso
caravane	roulotte
chialer	pleurer
classeur	cartable
clébard	chien
Coca	Coke
courgette	zucchini
coursier	courrier
distributeur de billets	guichet automatique
faire ses courses	magasiner
feu de circulation	lumière
football	soccer
j'adore vos enfants	j'adore vos enfants[6]
laque	fixatif
liqueur	alcool
masseuse	massothérapeuthe
meuf	femme
Nesquik	Quick
occasion (d')	seconde main, usagé(e)
œufs sur le plat	œufs miroirs
pastèque	melon d'eau
patin à roulettes	patin à roues alignées[7]
PCV	appel à frais virés
poncer	sabler
pressing	nettoyage à sec, nettoyeur
ringard	kétaine
rouler une pelle	donner un *french kiss*

[6] *Voir le mot « gosses » ci-dessus.*

[7] *En effet, quand elles étaient perpendiculaires, ça ne marchait pas.*

Si vous voulez dire	Dites
ruban adhésif	tape (« tépe »)
se mettre sur son trente et un	être sur son trente-six
sparadrap	Plaster
WC	salle de bain

Comme l'a souligné un auteur admirable[8], de nombreux mots qui sonnent aux oreilles françaises comme des anglicismes n'en sont pas (« canceller » se disait sous la Renaissance en France et Montaigne écrivait « tomber en amour ») et le français d'Amérique recèle des trésors perdus en Europe (« ébarouir », « abrier », « débiscailler ») qu'il faut protéger comme des oiseaux fragiles.

Les noms propres

Les noms de villes proviennent du français, de l'Église catholique, de l'amérindien et parfois de tout en même temps car les Québécois ont inventé des noms de saints sur la base de mots indiens. Ils en ont aussi donné en hommage à un maire local ou parce qu'ils ne trouvaient rien d'autre. Un vrai mic-mac.

En amérindien et en vrac

Chibougamau	lieu de réunion
Chicoutimi	fin de l'eau profonde
Mégantic (lac)	transcription approximative de « Namagontekw » qui signifie en abénaquis : « lac à la truite saumonée »
Mont-Tremblant	cet endroit s'appelait « Manitou Ewitchi Saga », ce qui signifie en algonquin « les monts du terrible Manitou » car les Indiens pensaient que si l'on dérangeait la nature, Manitou ferait trembler la montagne. Trembler... tremblant...
Québec	là où c'est étroit (où le fleuve se resserre.)[9]
Saguenay	source des eaux
Tadoussac	en montagnais : « les seins, les mamelles » (à cause des collines)

[8] *Tardivel, Louis, Répertoire des emprunts du français aux langues étrangères, Septentrion, Sillery, 1991.*

[9] *Certains historiens pensent aujourd'hui que le nom de la ville serait plutôt d'origine normande.*

Donc, si vous dites par exemple : « mégantic tadoussac » ça signifie (à peu près) : « viens faire du **topless** dans une petite crique que je connais où il y a des truites saumonées » (si elle vous répond « Mont-Tremblant », c'est qu'elle préfère le Hilton).

Pour dire **New York**, il faut prononcer « niouyor », mais pour **Boston**, il faut dire « bosse-thon ».

Canada vient de l'iroquoien « *kanata* » qui signifie « ensemble de cabanes » et par extension, « village ».

Bien d'autres mots amérindiens sont passés dans le langage courant. Le linguiste Louis Tardivel en a compté deux cents[8] : anorak, kayak (inuit), caribou (algonquin emprunté au micmac), mocassin, toboggan, touladi mais aussi « pitoune » et « tabagie » (algonquin).

Les noms de famille viennent essentiellement de France. Comme vous avez pu le constater, 83 620 personnes s'appellent **Tremblay** au Québec. Le second nom le plus répandu est **Gagnon** (60 680). Mais ce qui est vraiment surprenant, c'est que 798 personnes s'appellent **La Framboise**, et 799 **Surprenant,** sans compter les multiples Brind'Amour, Jolicoeur, Ladouceur, Laflamme ou Latendresse et les quelques **Yvon Gagné** ou Yvan Desbien.

Les lettres

Les claviers québécois sont de type qwerty améliorés car ils comprennent les accents. Si ce n'est déjà fait, sélectionnez « clavier » dans le panneau de configuration Windows, puis « français du Canada ».

Il arrive fréquemment (dans les cafés Internet) de ne disposer que de claviers américains où l'on ne trouve ni les é, ni les è, ni les à, ni les ô… Pour éviter que vos correspondants pensent que vous avez oublié l'accent :

Pour écrire	Tapez Alt et
é	130
è	138
à	133
â	131

Pour écrire	Tapez Alt et
û	150
ù	151
ê	136
ô	147
û	150
î	140
ç	135

Par ailleurs, le format A4 est inconnu des imprimantes qui utilisent le format « letter ». Pour ceux qui ont apporté leur ordinateur européen mais qui ont acheté une imprimante québécoise, la colocation n'est pas facile. Dans le logiciel d'impression, choisir « adapter le format A4 en letter » ou créer un nouveau format de page par défaut. J'ai mis deux ans à comprendre.

Comprendre une petite annonce

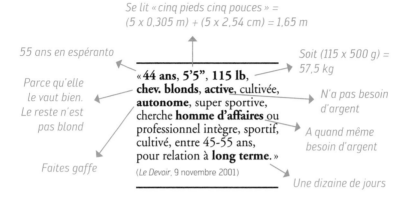

Se lit « cinq pieds cinq pouces » =
(5 x 0,305 m) + (5 x 2,54 cm) = 1,65 m

55 ans en espéranto

Parce qu'elle le vaut bien. Le reste n'est pas blond

Faites gaffe

« **44 ans, 5'5", 115 lb,**
chev. blonds, **active**, cultivée,
autonome, super sportive,
cherche **homme d'affaires** ou
professionnel intègre, sportif,
cultivé, entre 45-55 ans,
pour relation à **long terme.** »

(*Le Devoir*, 9 novembre 2001)

Soit (115 x 500 g) = 57,5 kg

N'a pas besoin d'argent

A quand même besoin d'argent

Une dizaine de jours

Les chiffres

Le système métrique est légalement en vigueur au Canada depuis 1971, c'est pourquoi on compte encore avec le système « impérial » institué par l'Angleterre en 1829. Super pratique. Il suffit de savoir que l'équivalence est à peu près :

> **1 livre (1 lb)** ½ kilo

> **1 pied (1 pi)** 30 cm (comparez avec le vôtre)

> **1 pouce (1 po)** 2,5 cm (comparez avec le vôtre)

> **1 verge (1 v)** 1 mètre (ne comparez pas)

> **1 once (1 oz)** 28 grammes

> **1 pinte (1 pt)** 1 litre

Le pire, ce sont les pieds carrés qui valent :

1 pied carré = 0, 093 m².
Pour simplifier, 10 m² = 100 « pi ca ».

Pour les **températures**, la météo calcule en degrés Celsius mais les cuisinières et les fours en degrés Fahrenheit. Retenons que :

$400°F = 200°C$

et ça suffit car personne ne cuit rien à 400 °C.

Pour convertir des Celsius en Fahrenheit, la formule bien connue des ménagères est :

$C = (F-32) - 5/9$

Ce qui explique que -40 °C = -40 °F.

Comme le système impérial avait aussi ses mesures de cuisine :

> **1 tasse** 250 ml

> **1 cuiller à thé** 5 ml

Reste le problème des **tailles de vêtement**. La règle est très simple car les Québécois commencent à compter quand nous sommes à 30. Ainsi, un 36 en France correspond à un 6 ici et un 12 est pour nous un 42.

Exercice: quel est l'équivalent d'un 38? Il fallait répondre un 8 (*final answer*). Passez quand même par la cabine d'essayage.

Pour **les pointures**, la formule est: $cos~x2(a+b)^3$

En pratique:

Hommes		Femmes	
Europe	Canada	Europe	Canada
38	5	36	5
39	6	37	6
40	7	38	7
41	8	39	8
42	9	40	9
43	10	41	10

Oui, mais **les collants**, Hubert?

France	Québec
0	8
1	8 ½
2	9
3	9 ½
etc.	

Pourriez-vous maintenant nous parler des **tailles de lit**? Avec plaisir. On désigne ici les dimensions des lits, matelas et draps par les noms suivants:

> **Simple**   0,9 m x 1,85 m

> **Double**   1,35 m x 1,85 m

> **Queen**   1,50 m x 2 m

> **King**   1,90 m x 2 m

La **pression artérielle** est multipliée par 10. Une tension normale est ainsi de 120.

Mais la **pression des pneus** se calcule en kilopascal.

Si ça vous passionne, la vraie table de conversion est la suivante:

Longueur	
1 pouce	2,54 cm
1 pied	0,305 m
1 verge	0,914 m
1 mille	1,609 km

Superficie et volume	
1 pouce carré	6,452 cm²
1 pied carré	0,093 m²
1 verge carré	0,836 m²
1 mille carré	2,59 km²
1 acre	0,405 ha
1 chopine	0,567 litre
1 pinte	1,135 litre
1 gallon	4,534 litres

Si ça vous survolte, il faut savoir en outre que les mesures américaines ne correspondent pas aux mesures canadiennes (qui sont anglaises). Or rien de ce qui est anglais n'a son équivalent quelque part dans le monde, sauf au Canada. C'est pourquoi un gallon (américain) n'est pas un gallon (canadien-anglais).

Les Nord-Américains mettent des virgules où nous mettons des points. Quand ils écrivent: 12,330, il faut lire douze mille trois cent trente. En principe, les Québécois n'emploient la virgule que pour la décimale, mais il est prudent de vérifier…

On écrit les **numéros de téléphone** en séparant les trois premiers chiffres qui représentent le code régional et les trois suivants:

514-123-4567. On prononce les 10 chiffres un par un.

Quand ils parlent de leur **salaire**, les Québécois donnent leurs revenus annuels (bruts) et non pas mensuels. S'ils prétendent gagner 125 547 $, il faut leur demander de diviser par douze pour savoir combien ils gagnent par mois (alors que la plupart d'entre eux sont payés toutes les deux semaines).

Vous vous sentez déboussolé ? Voilà le pire. Le nord des Montréalais... n'est pas le nord. En effet, on considère que le Saint-Laurent coule d'est en ouest. Mais en réalité quand il arrive dans le centre-ville, il fait un crochet vers le nord. C'est pourquoi les artères parallèles au Saint-Laurent sont dites est-ouest (au lieu de nord-sud) et celles qui lui sont perpendiculaires sont dites nord-sud (au lieu de est-ouest) de sorte que le vrai nord se trouve en fait au nord-est. Tout ceci n'explique d'ailleurs absolument pas pourquoi les Cantons-de-l'Est sont au sud, finalement.

Votre accent est important pour nous...

Les logiciels de reconnaissance vocale utilisés dans certaines entreprises ne reconnaissent que l'accent québécois et il vous faudra l'imiter si vous voulez être compris.

Vous voulez parler à Mélanie Leblanc ? Dites à l'ordinateur «Mélanie Leblin». Sinon, il vous enverra chez Isabelle Lasalle.

Un dernier mot, le plus bizarre de tous : **orignal** ne vient pas du français, ni de l'anglais, ni de l'indien mais... du basque ! *Orignac* signifie «élan». Le terme a été adopté par les Indiens au cours des contacts qu'ils entretenaient avec les pêcheurs venus des côtes françaises.

Un néologisme et un indispensable

Graciation
néologisme québécois. Remise à l'eau du poisson que l'on vient de pêcher.

Kétaine
adjectif signifiant «ringard», «cul-cul». Kétaine est un dérivé de «quéteux», terme remontant lui-même au XVe siècle. Une autre étymologie fait remonter le mot à la famille Kitting, de Saint-Hyacinthe, connue pour son habillement dépassé.

Se déplacer

à Montréal

Leçon de survie

La géographie de la ville

Ce qui est très énervant pour un Européen, c'est que les Québécois parlent sans cesse de nord, sud, est et ouest pour tout indiquer. Inutile de consulter une boussole puisque ces directions sont imaginaires. En réalité, il ressort de mes explorations qu'il existe plusieurs artères importantes.

Le boulevard Saint-Laurent: il coupe verticalement la ville, du sud au nord. En montant le boulevard, tout ce qui se trouve à gauche est à l'ouest et le reste à l'est. Certains prétendent qu'il trace aussi

une frontière linguistique entre les francophones et les anglophones. Je n'ai jamais remarqué.

Dans la même rue, la numérotation des immeubles recommence à zéro quand on passe de l'est à l'ouest, c'est-à-dire quand on croise Saint-Laurent (il n'y a pas de changement climatique majeur). Dans une même rue, on trouve donc très souvent deux mêmes numéros. Par ailleurs, les chiffres montent toujours en allant vers le nord (à partir du fleuve).

La rue Saint-Denis: parallèle au boulevard Saint-Laurent comme à bien d'autres en Amérique du Nord (Pie IX est ainsi parallèle à

Sunset Boulevard). Or il faut savoir que la numérotation des immeubles est la même que dans toute rue qui lui est parallèle. Ainsi, le 2300 Saint-Laurent est exactement à la même hauteur que le 2300 Saint-Denis, Saint-Hubert, etc. Chouette ce guide, non ?

La rue Sainte-Catherine :
elle est perpendiculaire aux deux premières et à plein d'autres évidemment, qu'elle coupe en bas (au sud). On dit qu'il s'agit de la plus grande artère commerciale du Canada.

La rue Sherbrooke : elle
est parallèle à Sainte-Catherine et va donc d'est en ouest, disons de droite à gauche. Je suggère aux nouveaux qui veulent visiter Montréal d'emprunter la rue Sherbrooke de l'extrême est à l'extrême ouest et de regarder par la fenêtre l'évolution de l'environnement.

Et nous terminons cette visite avec **la rue Jean-Talon**, notre père à tous, qui coupe en haut (au nord) Saint-Laurent, Saint-Denis, etc. Elle est donc parallèle à celle qui les coupe en bas (au sud), la rue Sainte-Catherine. Pourquoi notre père à tous ? Il est l'un des premiers à installer deux mille immigrants au Canada. Et il impose une amende aux célibataires. Ainsi, vous êtes au Québec grâce à Jean. Et votre coloc est sur terre grâce à lui itou.

Quoi qu'il en soit, les rues sont tellement longues que personne ne comprendra où vous voulez aller si vous n'indiquez pas la « rue transversale », c'est-à-dire la plus proche rue perpendiculaire à la vôtre. À Montréal, on ne dit donc jamais : « j'habite au 3505 rue Clark » car personne ne sait où c'est, mais : « j'habite sur Clark et Prince-Arthur ». Au début, on pense que tous les Québécois habitent à des coins de

rue, mais en fait, il y en a aussi qui habitent dans la rue elle-même.

Les arrondissements

La ville de Montréal comprend **19 arrondissements**, dirigés par un conseil particulier aux compétences spécifiques. Il faut y ajouter **15 villes de banlieue** reconstituées. C'est ainsi que Westmount, par exemple, qui se trouve sur l'île de Montréal, ressemble peut-être à un village de Schtroumpfs mais forme en réalité une ville à part entière de 3,9 kilomètres carrés et huit districts électoraux.

Ensemble, ces arrondissements et joyeux lurons reconstitués se retrouvent au **conseil d'agglomération**. Quant au **conseil municipal de Montréal**, il est composé de 19 maires d'arrondissement, 45 conseillers et le maire de Montréal en personne. Le « **grand Montréal** » (plus de 3,7 millions de personnes) comprend l'agglomération de Montréal, la Ville de Laval (qui ne se trouve pas sur l'île), l'agglomération de Longueuil (*idem*), la banlieue nord et la banlieue sud. En deux mots : ce n'est pas parce que vous habitez sur l'île que vous vous trouvez à Montréal, ni parce que vous êtes un **nain de banlieue** que n'êtes pas un grand Montréalais.

Les quartiers
Le Vieux-Montréal a un
karma pas possible. Longtemps la cible des Indiens, il l'est aujourd'hui des touristes. Rasé par de nombreux incendies, il a finalement été titré arrondissement historique en 1964. C'est donc là que les Américains viennent visiter l'Europe alors qu'il est impossible de se garer.

Saint-Henri, au bord du canal Lachine, fut l'un des quartiers les plus pauvres de Montréal et l'un des plus inspirés : Samuel Bellow et Oscar Peterson y sont nés tandis que le roman *Bonheur d'occasion* de Gabrielle Roy s'y déroule. Aujourd'hui en passe de devenir le nouveau Plateau car les usines désaffectées sont transformées en lofts, il a été le symbole du milieu ouvrier francophone. Pourquoi « Lachine » ? Pour se moquer d'un certain Robert (Cavelier de La Salle) qui voulait découvrir le chemin pour aller en Chine en passant par l'Amérique. En fait, il fallait passer par Dorval.

Outremont au contraire représente le Neuilly francophone, et autrefois celui des Iroquois. Ce quartier se bat pour redevenir une ville, comme Westmount. On distingue Outremont ma chère, Outremont casher et Outremont pas cher.

Westmount, c'est *idem*, mais pour les anglophones. Westmount jouit du statut de ville à part entière.

Le centre-ville est situé entre le Vieux-Montréal et le mont Royal. (Le problème avec le centre-ville, c'est qu'il y a beaucoup de flèches pour indiquer comment y aller, mais aucune pour avertir qu'on y est). Majoritairement francophone. Au début du XXᵉ siècle, l'ancien quartier des affaires installé rue Notre-Dame s'y est déplacé.

Côte-des-Neiges, statistiquement, n'est majoritairement ni francophone ni anglophone. On y parlerait cent dix langues au sein des quatre-vingts « communautés culturelles » qui y résident : Vietnamiens, Espagnols, Arabes, Français…

Le Plateau est le lieu de la spéculation immobilière par excellence, un peu snob, un peu intello, peuplé d'Européens.

Rosemont-Petite-Patrie, au nord du Plateau, doit son nom au roman autobiographique de Claude Jasmin dont a été tiré un téléfilm. Il s'agissait autrefois d'un quartier industriel où travaillaient de nombreux immigrés italiens. Les usines abritent aujourd'hui des bureaux.

Hochelaga-Maisonneuve est le quartier du Stade olympique. Quand Jacques Cartier débarque à Hochelaga en 1535, il refuse de participer à une fête organisée par les Iroquois mais il leur lit l'évangile en français. Devant leur scandaleuse incompréhension, il escalade le mont Royal pour y faire sa grande déclaration. Or pour aller du Stade olympique au mont Royal, il faut au moins trente-cinq minutes, vu le nombre de stops. C'est pourquoi les historiens pensent qu'Hochelaga se trouvait alors à Outremont, en fait. Non seulement ce guide est utile, mais il est rempli d'humour. Et dans quelques lignes, vous apprendrez pourquoi il n'existe de toilettes publiques dans aucun de ces quartiers.

Le Village gay se situe entre le Saint-Laurent et le parc Lafontaine, délimité par les rues Saint-Hubert et de Lorimier. Branché, bien sûr.

La Rive-Sud se trouve juste après les embouteillages. Il suffit de passer le pont.

Les moyens de transport

Le bus: les lignes sont numérotées comme partout dans le monde. Mais étant donné que les rues sont longues et souvent à sens unique, le trajet des bus se limite à une rue.

Pour connaître l'horaire d'un autobus, appeler le **a-u-t-o-b-u-s** et taper le numéro du bus *(514-288-6287)*.

On ne dit pas **le** 51 mais **la** 51. Ce n'est pas en raison de une autobus mais de une ligne d'autobus. Ce guide est vraiment unique.

À l'intérieur de Montréal, le tarif est de 2,75 $. Il faut se munir de la monnaie exacte car les chauffeurs ne font qu'encaisser. On peut se procurer des tickets dans les stations de métro (lisière de 6 tickets pour 13,25 $, je viens carrément de vous faire économiser 3,25 $). Pour des voyages plus fréquents, il faut acheter la carte à puce Opus (3,50 $) que l'on charge électroniquement dans les pharmacies (complètement logique), les dépanneurs et le métro pour une semaine (20,50 $), 1 mois (70 $), ou quelques trajets seulement. Bien sûr, ces tickets servent à la fois au bus et au métro et il existe de nombreux tarifs réduits, notamment pour les touristes, les étudiants, « l'âge d'or », etc.

Le métro: le métro est propre, sûr, bien organisé, mais il n'y a pas de toilettes publiques. Un seul ticket donne droit à une correspondance avec un bus, pour autant que la correspondance soit prise dans les 120 minutes à compter de l'heure inscrite à l'endos de la carte. Il faut le garder sur soi pour l'insérer dans un petit bi-

dule dans le bus. Comme dit la STM, la correspondance ne permet pas à son détenteur d'effectuer un aller-retour ou d'interrompre momentanément son voyage pour aller voir sa copine et ensuite le reprendre sur la même ligne d'autobus, car il ne faudrait tout de même pas les prendre pour des caves. L'explication sur les toilettes publiques approche.

Le dernier métro : selon les lignes, entre minuit et minuit et demie en semaine, vers une heure le week-end.

En vous engageant à acheter 12 titres mensuels consécutifs de la STM, vous aurez accès au parc automobile de Communauto pour seulement 5 $ par mois et sans payer les frais d'adhésion de 500 $ normalement exigés. Pour profiter du rabais **DUO auto+bus**, vous devez remplir un formulaire d'adhésion sur ***www.communauto.com***.

Un site très utile pour tout savoir sur les métros et les bus : ***www.stm.info***

Le taxi: on le hèle, on le trouve dans des stations et on le commande par téléphone. Il y en a en abondance dans le centre, peu ailleurs. La prise en charge est de 3,30 $, le prix au kilomètre de 1,60 $, la minute d'attente 0,60 $, l'âge moyen des chauffeurs 48 ans et le nombre de voitures est de 4 445, ce guide est fantastique. Le pourboire n'est pas obligatoire mais courtois. Il n'y a pas de tarif de nuit.

À Montréal, les taxis sont d'une correction incroyable. Il n'y a aucune distance minimale, on peut monter à quatre personnes sans subir l'humeur du chauffeur et en cas d'appel par téléphone, le voyage jusqu'au lieu de prise en charge est gratuit.

> **Taxi Diamond** *(514-273-6331)*

> **Co-op Taxi de l'Ouest métro-politain** *(514-636-6666)*

> **Unitaxi** *(514-482-3000)*

ARRÊT STOP

Prendre le taxi pour le prix d'un bus

Dans certaines parties de la ville, c'est comme à Cuba. On prend un taxi collectif car il n'existe pas de bus. Par exemple entre le Campus Bell de l'Île-des-Sœurs et la Place du Commerce. Toutes les 10 minutes du lundi au vendredi entre 11 h 30 et 13 h 30.

La voiture : (voir p. 64)

Le vélo :

> On **vole** des vélos à Montréal, (c'est pourquoi la plupart des vélos attachés à un poteau sont démontés. Il y manque tantôt la selle, tantôt une roue). Il n'y a pas d'immatriculation obligatoire ni de taxe. Le casque est facultatif.

> On **loue** des vélos : BIXI est un système de vélos en libre-service accessible de mai à novembre (plus de 5 000 vélos). La condition de base imposée par le règlement : mesurer plus de 1 m 24. On peut s'abonner (en ligne) au prix de 78 $ pour un an, ou payer un accès de 24 h pour 5 $ (au-delà de 30 minutes d'utilisation, on paie le temps supplémentaire). Les tarifs, les règlements, les lieux d'accès, les FAQ : ***www.montreal.bixi.com***.

> On **donne** des vélos à **SOS Vélo** plutôt que les laisser rouiller sur la terrasse *(2085 rue Bennett, suite 101, 514-251-8803)*.

> On **regarde** les vélos quand on conduit en voiture (car eux ne regardent pas).

> On **roule** à vélo presque autant qu'à Amsterdam : le réseau de pistes cyclables dépasse les 450 kilomètres.

> On **transporte** son vélo en taxi : certaines compagnies disposent d'un porte-vélo pour 3 $ de plus. Le métro accepte aussi les vélos dans la première voiture, de 10h à 15h et après 19h en semaine, et toute la journée le week-end.

Le bateau : en été et en automne, on peut se rendre à Longueuil (ou à l'île Sainte-Hélène) par la navette fluviale pour environ 6 $ (selon le prix du pétrole). La traversée dure trente minutes, passe sous le pont Jacques-Cartier, et permet de prendre l'air. On embarque dans le Vieux-Port et on débarque en pleine ville. La navette

propose aussi un *room service*, mais la bouteille de champagne coûte 140 $ et il faut la boire en une demi-heure. Génial pour un voyage de noces *super cheap*, elle ne se souviendra de rien. Départ de Montréal toutes les heures 35 à partir de 10 h (35) *(Info navettes, 514-281-8000)*.

Dans le genre petit bateau et vieux port, il y a aussi **le Petit Navire** propulsé électriquement, qui promène les touristes autour des quais, avec commentaires du capitaine, pour 16,95 $ *(514-602 -1000)*.

Les mobylettes : pratiquement inexistantes à Montréal, sauf le genre Vespa. Les motos sont en revanche très utilisées dans le crime organisé.

Les toilettes publiques

Et voici le moment attendu : il n'y a pas de toilettes publiques de type vespasienne parce que Jean Drapeau, ancien maire de Montréal, avait décidé qu'elles ne servaient qu'à abriter les malades sexuels. Donc il les a toutes fait supprimer puis a interdit qu'on en bâtisse dans le métro, bravo Jean. C'est ainsi un empereur romain qui invente les toilettes publiques et un maire montréalais qui les désinvente : l'auteur de ce guide a un sens inné de la synthèse historique et réussit à nous faire traverser deux mille ans d'histoire d'un seul trait de plume. Saluons l'auteur de ce guide.

Emménager
à Montréal

Fraîchement débarqué...

À Fred

Un immigrant est tout de suite plongé dans des questions pratiques dont il ne soupçonnait pas l'importance et qui doivent être résolues dans l'heure : où achète-t-on du produit de vaisselle, des transformateurs ? À quelle heure les magasins ferment-ils ? Quel est le meilleur café ? La meilleure grande surface ? Quand commence la fin de semaine ? Comment appelle-t-on la crème fraîche ? Pourquoi n'existe-t-il nulle part des gants de toilette ? Chacun, selon son origine, se pose mille questions ; mais tout émigrant est irrésistiblement attiré vers un endroit magique, où il doit se pincer pour s'assurer qu'il ne rêve pas, parce qu'il trouve la réponse à bien de ces questions d'intendance : le Dollarama.

Aux temps héroïques, c'est-à-dire jusqu'à l'année dernière, chez Dollarama tout coûtait un dollar. Plus les taxes, évidemment. Tout ! Les couverts, les assiettes, les chaussettes, la poudre à lessiver, le tire-bouchon, les bougies et les bougeoirs, l'encens et les encensoirs, tout, absolument tout. Je me disais en y entrant : « Dire qu'avec 500 dollars je pourrais m'acheter 500 fourchettes », et cela me procurait cette sorte d'ivresse du pouvoir qu'a ressentie Carla Bruni quand elle est entrée pour la première fois à l'Élysée. Mais des monstres, des fanfarons, des grands malades ont décidé depuis peu de bouleverser mes certitudes. Aujourd'hui Dollarama vend des fourchettes à 1,25 $, d'autres objets à 2 $, des « items » au prix d'antan, des gadgets à 1,50 $...on n'y comprend plus rien.

La nostalgie camarade. J'y retourne quand même. Évidemment on ne peut demander à des objets si peu « dispendieux » la qualité de ceux qui le sont plus. Les cuillers plient, les bougies s'évaporent et les tire-bouchons n'en tirent guère plus de deux. Il y a des réveils qui ne réveillent pas, des rasoirs qui ne rasent pas, enfin des tas d'objets qui n'ont d'extraordinaire que leur prix, quand même au-dessous de la moyenne quoique délirants de fantaisie. L'immigrant s'en plaint-il ? Il en rit. Nous en rions tous quand nous nous retrouvons et en parlant d'un futur achat, on se demande mutuellement : « Chez Dollarama ? » avec l'air entendu de gens qui ont partagé le même vice. Enfin vient le temps où l'on fait le tri : on sait ce qu'il faut y acheter et y laisser. J'y passe toujours pour y retrouver ma naïveté des premiers jours et quand je vois des maudits Français remplir leur petit panier avec cet air de gourmandise qui nous caractérise, je me dis : « ce type n'est pas un émigré. C'est un émigrant. »

Leçon de survie

Heures d'ouverture

Des magasins

Lundi au mercredi : 10 h à 18 h

Jeudi et vendredi : 10 h à 21 h

Samedi : 10 h à 17 h

Dimanche : 12 h à 17 h

Des dépanneurs

Ouverts jusqu'à 23 h. Certains restent ouverts toute la nuit.

Des bureaux

Lundi au vendredi : 9 h à 17 h

Des banques

Généralement de 10 h à 15 h du lundi au mercredi. Plus tard, les jeudi et vendredi parfois 18h, parfois 20h. Certaines succursales sont ouvertes le samedi. Finalement, les banques sont de grandes fantaisistes.

De la poste

Si certains bureaux de poste se trouvent dans certaines pharmacies en vertu d'une logique qui donne la migraine et que ces pharmacies occupent le fond d'une mini-grande-surface, il ne faudrait pas en conclure que la poste est ouverte en même temps que la pharmacie. En général, les heures d'ouverture de la poste sont de 9h30 à 17h30 du lundi au vendredi (certaines postes restent ouvertes plus tard, infos au *1-800-267-1155*).

Jours fériés

À part les 1er janvier et autres fêtes classiques, c'est congé le :

> **3e lundi de mai**
> fête de Dollard, ou des Patriotes, ou de la reine d'Angleterre (au choix).

> **24 juin**
> fête nationale du Québec (le Québec est la seule province au monde à avoir une fête nationale).

> **1er juillet**
> fête nationale du Canada.

> **1er lundi de septembre**
> fête du Travail.

> **2e lundi d'octobre**
> action de grâce.

> **11 novembre** (pour les organismes d'État)
> jour du Souvenir.

> **26 décembre**
> *boxing day* (fête des soldes).

Changement d'heure

Deuxième dimanche de mars et premier dimanche de novembre.

Dollarama

Il y a plusieurs Dollarama à Montréal. L'un des plus grands se trouve Place Montréal Trust, un centre commercial du centre-ville *(1500 av. McGill College, 514- 287-7490)*. Dans le «**temps des fêtes**», on y vend de nombreuses petites décorations de Noël qui peuvent servir toute l'année.

ARRÊT STOP
Le 28 avril 2005, un homme cagoulé a fait un hold-up au Dollarama de Lévis.

Ventes de garage

En été et jusqu'en octobre «dépendamment du climat», le moins cher, avec le Dollarama, ce sont les «**ventes de garage**», c'est-à-dire les brocantes privées. Elles ont lieu essentiellement le samedi et on y trouve tout pour s'habiller à des prix sans aucune comparaison. Il faut un peu de patience mais l'activité est très amusante et permet de rencontrer une foule de gens plaisants. On peut se balader au gré de sa fantaisie ou surfer sur ***www.ventedegarage.ca***

Les meubles : les bons plans

> Le moins cher évidemment reste **l'Armée du Salut** pour autant que l'on surveille les soldats de l'armée québécoise avec lesquels il faut toujours négocier les prix (ils ont tendance à croire que c'est du Louis XVI dès que c'est abîmé). Il y a près de 20 magasins dans tout le Québec : ***www.armeedusalut.ca***. *(À Montréal, le principal se trouve au 1620 rue Notre-Dame O., 514-935-7425).*

> Dans la même gamme, mais avec plus de 200 boutiques dans le monde, le **Village des Valeurs** est la plus grosse chaîne de commerces d'occasion au monde participant également à de nombreuses œuvres de bienfaisance : ***www.villagedes-valeurs.com***. On y trouve comme dans les greniers de l'Armée, du mobilier, de la vaisselle, des livres, des disques, des vêtements, etc.

> **Les Petites Annonces classées du Québec** *(www.lespac.com)*

> **Kijiji** *(http://montreal.kijiji.ca)*

> **Futon d'or** vend des quoi ? *(3855 rue St-Denis, 514-499-0438)*

> Duvets naturels et à prix de gros chez **Ungava** *(10 av. des Pins O., suite 112, 514-287-9276).*

> Pourquoi pas **IKEA** ? Il faut une voiture pour y aller mais l'avantage c'est que vous connaissez : Ikea Montréal, ouvert jusqu'à 21 h sauf le week-end *(9191 boul. Cavendish, Ville Saint-Laurent, 514-738-2167 et 586 rue de Touraine, Boucherville, 450-449-6755, www.ikea.ca).* On peut commander par téléphone et être livré.

> **Brault & Martineau** : si vous ne voyez pas ce que je veux dire, vous n'avez pas de télé.

> Dans ce cas, on en vend chez **Canadian Tire** et **Zellers** à des prix acceptables.

> **La Baie** est un grand magasin descendant de l'illustre Compagnie de la Baie d'Hudson créée à l'initiative de Radisson et Desgroseillers. Incontournable du genre Galeries Lafayette, et en plein centre, ouvert tous les jours jusqu'à 21 h. On y affiche en permanence des soldes allant parfois jusqu'à 75 % d'un prix 75 % supérieur à la concurrence. Voir aussi la solderie au dernier étage *(585 rue Ste-Catherine O., 514-281-4422).*

Antiquités

Les **antiquaires** se trouvent surtout rue Notre-Dame Ouest et Sherbrooke Ouest. Beaucoup de **brocanteurs** sont installés dans l'est de la ville (Ontario et Sainte-Catherine). La **Boutique Jack's** est l'un des plus connus *(1036 rue Ontario E., 514-596-0060).*

Table et cuisine

> Articles de ménage, casseroles, cafetières, ustensiles de cuisine à prix abordables : **La Cuisinière Nino** *(3667 boul. St-Laurent, 514-844-7630).*

> Vaisselle, argenterie, arts de la table : à l'opposé du Dollarama, la magnifique boutique **Arthur Quentin**, chère et luxueuse. Chez Dollarama, tout est fait en Chine, ici tout vient de France et d'Italie. Splen-dide *(3960 rue St-Denis, 514- 843-7513).*

> Plusieurs modèles de poivriers Peugeot chez **Les Touilleurs** *(152 av. Laurier O., 514-278-0008)* Ça n'a rien à voir mais on ne vend plus de voitures Peugeot au Canada. Ni de Citroën, ni de Renault. Celles qu'on voit ont été importées de France à titre d'ancêtres. D'ailleurs, j'aimerais que le propriétaire de l'ID décapotable qui est souvent garée rue Saint-Denis m'appelle immé-diatement. Je suis intéressé.

> **Monas & Co Ltd** vend des équi-pements neufs et d'occasion : cou-telleries, assiettes, verreries, etc. *(4575 av. du Parc, 514-842-1421).*

Centres commerciaux

Montréal est réputée pour ses centres commerciaux. La plus importante gale-rie commerciale est le **Centre Eaton** : 180 boutiques, quatre étages, ouvert tous les jours jusqu'à 21 h, le week-end jusqu'à 17 h *(705 rue Ste-Catherine O.).* Comme dirait le *Michelin*, en sortant de ce centre, prenez à droite en profi-tant de la vue longitudinale sur la rue Sainte-Catherine parsemée de prome-neurs nonchalants et de naïfs trans-sexuels. Dès que vous voyez une ca-thédrale, descendez sous terre : vous entrez dans les **Promenades de la Cathédrale** *(652 rue Ste-Catherine O.).* Beaucoup de boutiques de mode et quelques restaurants. Tout en ad-mirant la luxuriance des devantures, le promeneur avisé rejoindra sans le savoir la **Place Ville Marie** *(4 Place Ville Marie)* également souterraine (80 magasins). Pour savoir comment sor-tir de ce centre, avisez un quidam et demandez-lui : « Comment sortir de ce centre ? »

Sauf indication contraire (**les sol-des**), vous pouvez toujours rapporter au magasin ce que vous y avez acheté, **30 jours** après l'achat, pour autant que vous conserviez le **ticket de caisse** et **l'emballage**.

Déménager

> Contrairement à ce qu'on dit en Europe, tout le monde ne démé-nage pas le 1er juillet. Seulement 250 000 ménages.

> Le **changement d'adresse** est automatiquement communiqué à six ministères (permis de conduire, assurance maladie, etc.) si vous remplissez le formulaire sur ***www. gouv.qc.ca/citoyens***

> En fin de déménagement, vous de-vez offrir à vos copains québécois une **pizza** et de la bière.

> Un conseil de ma mère : placer les objets légers dans des grandes **boîtes**, et les lourds dans de peti-tes (on trouve des boîtes dans les grands magasins sauf le 1er juillet). Un de ma tante : éviter les boîtes d'occase, elles ramollissent. Si vous ne voulez pas écouter ma tante, on trouve des boîtes dans les grandes surfaces, mais le matin seulement.

> On trouve plein de **conseils** sur *www.123demenager.com*

> Déménager sa **maison** : maison transportable et habitable en très peu de temps, la maison Habitaflex se monte et se démonte en quelques tours de manivelle alors même que la plomberie y est installée *(1-800-463-1107)*.

> **François Pilon** est un installateur de cordes à linge depuis 23 ans et aussi candidat des Verts aux élections fédérales. Faire sécher son linge est donc doublement écolo : **Corde à Linge Montréal** *(514-731-7261, francoispilon@sympatico.ca)*.

Tout savoir sur les camions U-Haul

On peut louer une bête camionnette VW pour transporter son « stock », mais chez les Romains on fait comme les Romains : je propose de louer le camion nord-américain typique. Le U-Haul.

> **Fondamental :** ce sont les seuls camions permettant d'installer trois personnes devant et une glacière.

> **Pratique :** ils disposent de rampes d'accès vers la cabine et d'un diable (il faut payer un supplément dès qu'on s'en sert).

> **Confidentiel :** le « coin au trésor » du camion (au-dessus de l'habitacle) est une marque déposée. On y entrepose la vaisselle fragile.

> **Policier :** l'âge minimum pour la location est 18 ans, et un permis normal suffit.

> **Politique :** il est parfois moins cher d'aller de la ville *A* à la ville *B*, que le contraire, en raison de l'achalandage.

> **Remorquable :** on peut déménager avec un camion U-Haul tirant une remorque U-Haul, mais on peut aussi remorquer sa voiture.

> **Génial :** ils ont vraiment pensé à tout car si on déménage de Montréal à Vancouver, par exemple (4 311 $ pour le plus gros camion), il ne faut pas le ramener ensuite à Montréal. C'est pourquoi on peut voir des U-Haul californiens à Montréal (ou l'inverse).

> **Poétique :** la conduite de ces *trucks* est un peu inconfortable, l'air climatisé souvent fatigué mais j'adore les U-Haul et j'en achèterais s'il existait des versions de poche (appel à U-Haul). Quand on entre dans un de ces camions, on perçoit les pensées, encore accrochées au rétroviseur, les espoirs, les « ce n'est qu'un au revoir » de centaines de Nord-Américains en sueur voguant vers l'ouest.

Téléphone : *1-800-361-5268*

Volts, hertz et prises plates

L'Amérique du Nord fonctionne encore à 110 volts, 60 hertz et à prises plates. Il est donc inutile d'apporter son fer à repasser et tout article électroménager car il faudra acheter des transformateurs plus coûteux que de nouveaux appareils, à l'exception des cuisinières et sécheuses qui, même ici, fonctionnent en 220 volts/60 hertz.

Certains appareils européens peuvent néanmoins être emportés car ils fonctionnent sans transformateur externe : l'inscription « 110/220 V » au dos de l'appareil indique qu'il peut fonctionner dans les deux voltages mais qu'il faut le commuter. Au contraire, l'indication « 110-220 V » signifie que l'appareil possède un commutateur automatique. Il n'y a donc aucune opération à effectuer. C'est le cas de la plupart des ordinateurs portables, des appareils photos numériques et téléphones portables récents.

Le fait que l'intensité de la lumière diminue subitement quand on branche un fer à repasser est un phénomène canadien normal.

Transformateurs

Les transformateurs ne modifient pas les fréquences (les hertz). On en trouve facilement boulevard Saint-Laurent entre de Maisonneuve et Ontario et chez Addison Electronique *(8018-8020, 20ᵉ Avenue, 514-376-1740)*.

Pour trouver des adaptateurs :

> **La Source** *(1-866-454-4431)*

> **Addison Électronique** (voir ci-dessus).

> En France, chez **Castorama** (7 euros)

Certains électriciens européens ont découvert qu'il est possible de faire fonctionner des appareils à 220 V et 60 Hz sur le 110 d'ici en reliant deux phases 110 V avec un neutre pour le retour. N'y connaissant absolument rien, cette description me terrifie. En plus, il est interdit de faire soi-même ce genre de bidouillage, il faut un électricien agréé. Si vous tenez absolument à rencontrer un pompier : Association des ambulanciers, pompiers, agents de sécurité et de parasécurité publique gais, lesbiennes et bisexuels du Québec (AGAPAS) *(514-528-8424)*.

4

Faire ses courses
à Montréal

Leçon de survie

> Notez sur votre liste de courses que : les « pâtisse-
> ries » sont des traiteurs, les « épiceries » des grands
> magasins, les pharmacies contiennent souvent un
> bureau de poste tandis qu'on appelle « magasins
> à rayons » les hypermarchés où l'on ne vend pas
> d'alimentation. En résumé, les pharmacies sont des
> magasins à rayons où l'on vend des timbres.

Les épiceries
Grands Magasins

**Provigo, Loblaws, Maxi,
Marché IGA, Quatre
Frères, Metro.**

**Provigo, Maxi, Maxi & Cie,
Loblaws** et l'**Intermarché** appar-
tiennent au même réseau, ce qui n'a
aucune importance. Et ce qui est
encore moins intéressant à savoir,
c'est que Provigo dessert également
plus de 550 marchands associés aux
bannières Axep, Proprio et Atout-Prix,
sortes de faux dépanneurs. Bref, environ 30 000 personnes travaillent pour
le groupe. Celui-ci distribue les marques *cheap* « Le Choix du Président »,
« Sans nom® » (ils ont réussi à déposer une marque sans nom), « Formats
Club », « Bon au Possible » et « Exact ».
Quant à la philosophie au-dessus de
tout cet argent la voilà : « Nous mettons l'accent sur les fruits et légumes,
les mets préparés, la boulangerie, la

charcuterie, les viandes, les fromages et les surgelés. » Bref ils mettent l'accent sur tout, de sorte que toute personne faisant habituellement « le marché » (les courses) dans un IGA s'aperçoit immédiatement qu'il n'y a aucune différence avec la concurrence. **IGA** offre aussi deux marques maison : l'étiquette haut de gamme « Nos compliments », et « Choix extra », la marque économique.

Metro, concurrent de tous les autres, constitue en outre une source importante de confusion quand on demande où est le métro. Il se rattrape en possédant Super C dont un responsable a proclamé en habit de lumière : « Chez Super C, nous nous sommes engagés à offrir aux familles soucieuses d'économies la facture d'épicerie la moins chère, dans un environnement propre et agréable, et ce, tous les jours. C'est notre mission et engagement. »

Certaines épiceries sont ouvertes toute la nuit (Quatre Frères) et beaucoup le sont jusqu'à minuit. Il est intéressant de surveiller les promotions et de découper les coupons dans les journaux gratuits de ces grandes surfaces. Ça fait *cheap* mais 1 $ + 1 $ + 1 $... D'ailleurs on peut en imprimer chez soi sur *www.moncoupon.com* ou *www.lescoupons.com*.

À certaines conditions, on peut obtenir une « carte **Costco** » qui ouvre l'accès aux centres d'achat en gros : téléphoner au *1-888-426-7826*. Jim Sinegal, propriétaire de la chaîne, s'octroie selon le *New York Times* un salaire de 350 000 $ par an plus un bonus de 200 000 $. C'est très peu compte tenu du fait que son entreprise génère 47 milliards de dollars annuellement. Jim Sinegal a d'ailleurs déclaré : « Un individu qui gagne 100, 200, 300 fois plus que l'employé moyen de son entreprise, c'est malsain ». Costco représente donc pour certains l'anti Walmart.

Mayrand, « entrepôt d'alimentation ouvert au public », permet l'achat en gros de plus de 10 000 produits. Intéressant pour les achats groupés *(5650, boul. Métropolitain E., 514-255-9330)*.

Beaucoup d'Européens vont chez **Adonis** pour acheter des kafta, shish taouk, shawarma et du souvlaki car les propriétaires sont des Libanais *(2001 rue Sauvé O., 514- 382-8606)*.

ARRÊT STOP ✋ *Le top du cheap*

Distribution Aubut est une grande surface où s'approvisionnent les dépanneurs pour nous revendre tout ça quatre fois plus cher : Aubut est moins dispendieux (faudra vous y faire) que toutes les grandes surfaces et aucune carte d'adhésion n'est requise. Du lundi au vendredi de 7 h 30 à 18 h et le samedi jusqu'à 17 h (3975 rue St-Ambroise, métro Atwater, 514-933-0939).

Les épiceries fines

> **Latina** dans le genre épicerie de luxe pas trop chère *(185 rue St-Viateur O., 514-273-6561)*

> **La Vieille Europe** *(3855 boul. St-Laurent, 514-842-5773)*

> **Marché Asselin** *(1284 rue Beaubien E., 514-271-7720)*

> **Fouvrac** *(1451 av. Laurier E., 514-522-9993)*

> **Fleur de Sel** *(2381 rue Beaubien E., 514- 725-9769)*

> **Gourmet Laurier** *(1042, av. Laurier O., 514-274-5601)*

> **Rachelle-Béry** est une épicerie bio avec plusieurs succursales et un site Internet *(www.rachelle-bery.com)*

> **Maître Gourmet** *(1520 av. Laurier E., 514-525-2044)*

Le gibier

À l'état sauvage et naturel, le sanglier ni le faisan n'existent au Canada. Mais on peut en trouver dans certains magasins particuliers, de même que du caribou :

> **Les Gibiers Canabec inc.** *(8032 rue Jarry E., 514-353-0108)*

Les dépanneurs

Acheter n'importe quoi et le revendre ensuite pour quelques dollars de plus : c'est le travail du dépanneur. Universitairement, on peut distinguer entre :

> **1) les imposteurs**, qui sont en réalité des franchises proprettes bien organisées et très chères (Couche-Tard, Bonisoir, etc.) qui ne constituent en vérité que de petits provigos, d'obscures igéettes ou de sombres walmartinettes ;

> **2) les besogneux**, généralement asiatiques et anglophones, qui regardent des films chinois en rendant la monnaie ;

> **3) les authentiques** francophones et bordéliques, qui entassent la marchandise jusqu'au plafond depuis 1951 et n'arriveront jamais à déménager. Ils vendent des tampons hygiéniques, du café, des bigoudis, du mauvais vin et du cheddar, échangent des billets de loterie contre des bouteilles consignées, et des pièces de 2 $ contre 198 pièces de 1 sou aux « quêteux » du quartier. La plupart ouvrent jusqu'à 11 heures, certains ne ferment jamais et mon préféré est Chez Benjamin, coin Alexandre De Sève et Logan. Si j'avais un car de touristes, ce serait la première visite imposée avec achat obligatoire de « crottes de fromage » (fromage en grains).

Les boulangeries

Montréal est réputée pour les *bagels* (petits pains casher, se prononce « béguels ») et cette réputation est mondiale. Les historiens disent que le *bagel* a été inventé en 1683 (à quelle heure exactement ?) et je préviens tout de suite tout le monde que pour survivre ici, il faut savoir couper les *bagels* en deux parties égales, sinon il n'y a qu'une moitié (en général très maigre) qui entre dans le grille-pain. Si j'ai survécu, c'est parce que je les fais au four.

> **Fairmount Bagel**
Fondée en 1919, c'est la doyenne de toutes les boulangeries de Montréal et elle est ouverte 24 h/24 *(74 av. Fairmount O., 514-272-0667).*

> **Bagel Shop**
Tout est fait devant les clients : la pâte est découpée, enroulée puis enfournée dans un four à bois. On voit même le responsable des bûches les apporter au boulanger. Aux États-Unis, ce serait du *fake*. À Montréal, c'est simplement comme ça qu'on fait les *bagels (158 rue St-Viateur O.,514-270-2972).*

ARRÊT STOP   Le toaster des cassés

On prend un support (un cintre) métallique. On étire la barre tranversale inférieure vers le bas. On replie ensuite l'extrêmité gauche sur l'extrêmité droite. On pose le tout sur un rond de cuisinière, une tranche de pain sur le dessus et voilà l'ancêtre du grille-pain québecois. On dit merci pour cette technique géniale.

De plus en plus de boulangeries proposent des produits de qualité à Montréal :

> **Au Pain Doré** et **Première Moisson**
Nombreuses succursales

> **Le Fromentier** *(1375 av. Laurier E., 514-527-3327)*

> **Mamie Clafoutis**
Tarterie, boulangerie, viennoiserie, salon de thé *(1291 av. Van Horne, 514-750-7245).*

> **Les Co'Pains d'abord** *(1965, av. du Mont-Royal E., 514-522-1994)*

> **Le Paltoquet**
Peut-être les plus français des croissants de Montréal et les plus parisiens des pains au chocolat *(1464 av. Van Horne, 514-271-4229).*

> **La Mie Matinale**
Manger Dalida ! Régis, le patron de la Mie Matinale, vient de Montmartre où ses parents possédaient une boulangerie. C'est un véritable malade de Dalida. En plein Village, sa boulangerie offre des pains au chocolat délicieux, des pâtisseries exquises, et des centaines, mais vraiment des centaines de disques, de photos et de posters de Dalida sur tous les murs. Au point que la boulangerie est mentionnée dans plusieurs ouvrages consacrés à la chanteuse. On y déjeune à partir de 5 $ *(1371 rue Ste-Catherine E., 514-529-5656).*

> **L'Élysée**
Les propriétaires sont originaires de Paris tout en étant nés au Vietnam. Le fils fabrique des madeleines et des éclairs, le père

est à la caisse et la mère sert aux tables, bavarde à la française avec les clients sous l'œil débonnaire de son mari qui l'adore. Il y a de vieilles photos de Paris aux murs et ce couple de tourtereaux s'aime depuis 50 ans dans des odeurs délicieuses *(4800 rue St-Denis, coin Villeneuve).*

Les poissonneries

Nous sommes à plus de 1 000 km de la mer canadienne et à 50 ans seulement de la dictature catholique qui interdisait aux restaurants de servir de la viande le vendredi. Voilà pourquoi les Montréalais sont dégoûtés du poisson, à mon avis. En plus, seuls les pêcheurs dégustent les poissons des lacs et des rivières, le commun des mortels n'ayant droit qu'à l'élevage, y compris pour les saumons.

> **La Mer**, une grande poissonnerie où l'on se sert soi-même *(1840 boul. René-Lévesque, 514-522-3003).*

> **La Sirène de la Mer** *(1865 rue Sauvé O., 514-332-2255)*

> **Poissonnerie Antoine** *(5020 av. du Parc, 514-278-8903)*

> **Waldman** *(76 rue Roy E., 514-285-8747)*

> **Norref**
> Très réputée et peu chère *(4900 rue Molson, 514-908-1000).*

Les poissonniers ni les grandes surfaces n'étant tenus de respecter une quelconque réglementation d'étiquetage, il règne la plus grande confusion dans les appellations. Par exemple, ce qu'ils appellent de la sole est de la plie.

Appellation québécoise	Appellation française
coquille Saint-Jacques	tout plat de poisson gratiné servi dans une coquille
doré	sandre
morue	cabillaud
omble de fontaine	truite mouchetée
pétoncle	coquille Saint-Jacques (le pied de celle-ci)
silure	barbue de rivière
sole	sole limande
sole de Douvres	sole
truite de mer	truite mouchetée
truite saumonée	truite nourrie aux colorants
turbot	turbot de Terre-Neuve, flétan noir

Pour tout savoir sur cette question : ***www.inspection.gc.ca/bil/fishlist/ca-nadahome.html***

Il existe des dizaines d'**espèces d'huîtres** au Canada: Beausoleil, Black Pearl, Caraquet, Colville Bay, Fanny Bay, Grande Entrée, Grosse île, Lady Chatterly, Lamèque, Malpèque,... Les plus proches de ce que nous connaissons: les huîtres de Caraquet et les Malpèques. Un délice.

Les boucheries

> **Anjou-Québec**
> La plus ancienne boucherie française de Montréal puisqu'elle a été créée en 1953 par un Parisien. Ils ont formé des dizaines de bouchers et connaissent tout sur la «coupe française» *(1025 av. Laurier O., 514-272-4065).*

> **Slovenia**
> Très grand choix de charcuteries dans la boucherie, spécialisée dans la choucroute *(3653 boul. St Laurent, 514-842-3558).*

> **Claude et Henri**
> Ils sont installés à l'intérieur du marché Atwater. Le propriétaire est arrivé de Grenoble il y a plus de 20 ans *(Marché Atwater, 514-933-0386).*

> **La Queue de Cochon**
> Boudin blanc, boudin noir, lard, saucisses et saucissons (on dirait une chanson de Souchon) *(1328 av. Laurier E., 514-527-2252).*

Les traiteurs

> **Le Poêlon Gourmand** est un traiteur français qui se rend à domicile, et cuisine sur place dans de grands poêlons. Très original, très bon, pas très cher *(514-529-9987, www.lepoelongourmand.com).*

Si vous préférez quelque chose de déjà préparé:

Pas chers et faits sur place

> **Les cuisines collectives:** c'est vous qui cuisinez avec d'autres, dans un esprit d'entraide, d'économie ou d'amusement. Un succès fulgurant au Québec. Pour vous informer: *514- 529-3448.*

Chers et faits sur place

> **La Pâtisserie Belge**
> propose de délicieux plats à emporter ainsi que des sandwichs comme en France *(3485 av. du Parc, 514-845-1245).*

> **Anjou-Québec**
> un des traiteurs les plus réputés *(1638 rue Notre-Dame, 514-272-4065).*

> **Première Moisson**: buffet froid et bouchées *(www.premieremoisson.com).*

Pas chers et pas faits sur place

Les grandes surfaces proposent des repas à réchauffer.

> **Clin d'œil gourmet** offre des paniers-cadeaux composés de produits du terroir québécois. Par exemple, des rillettes pur canard (sans porc) au sirop d'érable, des noix au sirop d'érable, du beurre d'églantier et de la compote d'amélanchier ou un coffret de tisanes inuites *(514-713-4403, www.clindoeilgourmet.com).*

Les fromageries

> **Fromagerie Hamel** *(220 rue Jean-Talon E., 514-272-1161 et 2117 av. du Mont-Royal E., 514-521-3333).*

> **La Vieille Europe**
Magasin d'alimentation très réputé pour ses produits européens *(3855 boul. St-Laurent, 514-842-5773).*

> **Maître Corbeau**
L'une des meilleures de Montréal *(1375 av. Laurier E., 514-528-3293).*

> **Qui lait cru ?**
Fromagerie à l'européenne avec crème fraîche, fromage au lait cru, beurre pur, fromage blanc artisanal de type petit Suisse et tout et tout *(7070 av. Henri-Julien, 514-272-0300).*

> La **Fromagerie Yannick** est spécialisée dans les fromages européens. Comme elle le dit : « présentés selon un concept européen, plus de 200 fromages fins s'offrent impudiquement à la vue de tous, sagement assis les uns en dessous des autres sur les tablettes habillant la verticalité du mur réfrigéré », il n'y que les Français pour parler de la verticalité des murs (réfrigérés) *(1218 rue Bernard, 514-279-9376, www.yannickfromagerie.ca).*

Les pâtisseries

> **La Pâtisserie de Gascogne**
importe du cassoulet de France *(273 av. Laurier E., 514-490-0235).*

> **La Pâtisserie Duc de Lorraine**
Très ancienne pâtisserie de Montréal (elle a été fondée en 1954). Comme beaucoup d'autres « pâtisseries », elle vend aussi du fromage, de la charcuterie, etc. Réputée *(5002 ch. de la Côte-des-Neiges, 514-731-4128).*

> **Pâtisserie Alati-Caserta**
Pâtisserie sicilienne *(277 rue Dante, 514-277-5860).*

> **Voir aussi la section Boulangeries.**

Les marchés publics

Réputés pour leur fraîcheur, ils existent depuis plus de 50 ans. Un exemple pour nous tous.

> **Marché Atwater**
Fondé en 1933, il propose non seulement des fruits et légumes mais aussi des poissonneries, boucheries, fromagers, etc. Au printemps et en été, l'extérieur est fleuri comme une serre et votre portefeuille a intérêt à l'être comme une gerbe car les prix sont exorbitants. C'est pourquoi l'on dit qu'on regarde au marché Atwater mais qu'on achète au marché Jean-Talon *(138 rue Atwater).*

> **Marché Jean-Talon**
Réputé pour son aspect multiculturel, le marché Jean-Talon est, malgré sa laideur, le plus populaire de Montréal, spécialement en été, pour ses fruits et légumes *(7075 rue Casgrain).*

> **Marché Maisonneuve**
Fleurs, plantes, fruits et fromages. Petit et agréable *(4445 rue Ontario E.).*

45

Tabac

On ne trouve ni **Marlboro rouges**, ni **Gauloises brunes**, ni **Barclay** à Montréal.

On vend des cigarettes chez tous les **dépanneurs**, dans les grandes et moyennes surfaces, et dans les tabagies mais elles sont cachées à cause du législateur québécois.

Le prix des cigarettes dépend de l'endroit où on les achète. En général, elles sont un peu plus chères au dépanneur. Ici comme ailleurs, l'État se fait à la fois un pognon maximal avec les taxes sur le tabac et demande à tout le monde d'arrêter de fumer. C'est ce qu'on appelle le beurre et l'argent du beurre. Les cigarettes les moins chères se trouvent **Chez Pat et Robert**, *1474 rue Ontario E.* et les moins chères des moins chères s'appellent les **Presto-Pack**, que l'on doit monter soi-même.

> › Un **tabac québécois** pour cigarettes : **Lépine**, cultivé à Joliette.

> › Il est tout-à-fait illégal et carrément criminel d'acheter des cigarettes aux **Mohawks** qui les vendent au bord des routes 207 et 138 à Kahnawake et Kanesetake (40 % de réduction).

> › Il est mal vu de fumer chez les gens qui ne fument pas car ça les dérange : on va sur la terrasse, même en hiver car ça ne les dérange pas que vous attrapiez la crève.

> › On ne peut fumer ni dans le métro, ni dans les gares, les taxis, les magasins, les restaurants, les bars, les centres commerciaux, les bureaux, la poste, l'hôpital, l'aéroport ainsi que dans un rayon de neuf mètres des portes des hôpitaux, des écoles, des cégeps, des universités, des garderies et généralement de tout lieu où se déroulent des activités destinées aux mineurs. Mais on peut téléphoner gratuitement pour dénoncer les criminels qui fument en cachette au *1-877-416-8222*. Vive le Québec libre.

> › Il est interdit de ne pas fumer au **Whisky Cafe**, l'un des derniers bars à cigares *(5800 boul. St-Laurent, 514-278 2646)*.

Petits appareils électroniques et électriques

(lecteurs mp3, appareils photos, caméras, télévisions...)

Neufs

> › **Best Buy** *(Marché Central, 8871 boul. de l'Acadie, 514-905-4269)*

> › **Bureau en Gros**
> Une dizaine de succursales à Montréal *(par exemple, 895 rue de la Gauchetiere, 514-879-1515)*.

> › **Dumoulin** *(8990 boul. de l'Acadie, 514-384-1022)*.

Occase

Boutiques rues Ontario et Amherst. Vérifier que c'est réellement moins cher.

S'habiller

Comme les boutiques abondent, les lister n'a aucun intérêt, nous sommes d'accord. Par rapport à l'Europe, les vêtements sont un peu moins chers, sauf les costumes pour les hommes. On peut donc :

En louer

> **Waxman** *(4605 av. du Parc, 514-845-8826)*

En faire faire

> **Louis & André, Tailleurs** *(2401 av. du Mont-Royal E., 514-525-1091)*

> **Gérard Mayeu Tailleurs** *(333 av. du Mont-Royal E., 514-845-5635, www.mayeu.com)*

Les réparer

> **Les Retouches Sublimes** *(1118 rue Ste-Catherine O., bureau 602, 514-876-4149)*

> **Margolese-Iacobacci** *(6686 rue St-Hubert, 514-273-2831)*

En acheter dans les friperies

Beaucoup se trouvent avenue du Mont-Royal. Il suffit de trouver ce qui vous « fait ».

Et c'est encore moins cher à **L'Armée du Salut** *(rue Notre-Dame O., 514-935-7425 ; rue Ontario E, 514-529-4025).*

Tableau de Mansiondeïev : magasiner les magasins

La concordance des magasins entre le Québec, la France et la Belgique est :

Québec	France	Belgique
Grands magasins		
Les Ailes de la Mode	Galeries Lafayette	
La Baie	Printemps	Innovation
Ogilvy	Le Bon Marché	Hema
Winners	C & A	C & A
Zellers / Walmart	Prisunic / Monoprix	JBC
Tigre géant / L'aubainerie	Tati	Dod's

Québec	France	Belgique
Décoration		
Linen Chest	Descamps / Carré blanc	Sia / Casa / Blokker / Walt
Structube / Zone	Habitat	Vastiau Godeau / Roche Bobois
Bricolage		
Home Depot	Castorama	Home Depot / Carpet Land / Heytens
Canadian Tire	Bricorama	Brico
Rona	Leroy-Merlin	Brico Plan It
Électroménager		
Brault & Martineau	Conforama / Darty / La Fnac	Kreffel / Vanden Borre
Future Shop	La Fnac	Sony Center
Fournitures de bureau		
Bureau en Gros	Office Dépot	Viking Direct
Omer DeSerres	Dalbe / Graphigro	Nias
Livres et CD		
Renaud-Bray / Archambault	La Fnac	La Fnac / Extrazone
Archambault	Virgin	Club
Alimentation		
Costco	Métro	Colruyt / Aldi / Lidl
Provigo / Metro / Loblaws	Carrefour / Leclerc / Intermarché	Carrefour/ GB / Delhaize
SAQ	Nicolas	Nicolas / Fourcroy / Graffe Lecoq
Pharmacies et para-pharmacies		
Jean Coutu	Equiform	DI
Uniprix		Yves Rocher
Familiprix		Body Shop
Les bonnes affaires		
Dollarama	Gifi / Babou	Gifi / Wibra

5

S'abonner au téléphone

Leçon de survie

Obtenir une ligne fixe

Il existe deux fournisseurs principaux de téléphonie résidentielle :

> **Bell** *(514-310-2355, www.bell.ca)*

> **Videotron** *(1-877-512-0911, www. videotron.ca)*

La procédure : puisque vous n'avez pas d'«historique de crédit», c'est-à-dire qu'on ignore si vous êtes ou non du genre à payer vos factures, et qu'en plus vous n'avez peut-être même pas de carte de crédit, on vous demandera un dépôt (à peu près 100 $) pour ouvrir une ligne résidentielle permettant d'appeler localement seulement. Bell accepte un dépôt en liquide, Videotron demande d'acheter une «*carte cadeau*» prépayée de type Visa ou Mastercard (dans les dépanneurs, les pharmacies, etc.) d'une valeur de 100 $ qui servira de caution.

Si vous souhaitez pouvoir appeler en dehors du 514, le montant du dépôt augmentera mais n'est-il pas plus simple d'acheter une carte d'appels ?

Les frais de branchement s'élèvent à 55 $ par ligne, mais dépendent des forfaits. Bell garde le dépôt pendant six mois au minimum. Si les factures sont payées avant l'échéance pendant les six mois, Bell remet le dépôt de garantie avec les intérêts selon le marché boursier.

ARRÈT STOP *À la mort de Graham Bell (d'où vient le mot décibel) le Canada et les États-Unis coupèrent les services téléphoniques pendant une minute à sa mémoire. Un peu comme si on infectait tout le monde pour fêter l'inventeur de l'antibiotique.*

Comprendre les tarifs

Chez **Bell**, les tarifs oscillent entre 19 $ et 44 $ (pour ce prix vous obtenez la boîte vocale, le transfert, la double ligne, l'appel conférence, etc).

On peut appeler gratuitement n'importe où à Montréal. Dès qu'une voix demande «Faites le un ou le zéro», c'est un interurbain, passez à la caisse.

Chez **Videotron**, l'un des plus importants fournisseurs de divertissements, les tarifs varient entre :

> ▸ 22,95 $ (plus les taxes) pour une **ligne fixe directe** ;

> ▸ 48,30 $ (plus les taxes) pour une **ligne téléphonique de base** et **Internet vitesse intermédiaire** ;

> ▸ 60,50 $ (plus les …) pour le **«Trio Sélect»** comprenant le **téléphone fixe**, **Internet** et une **trentaine de chaînes** dont TV5 ;

> ▸ 85,45 $ (plus quoi ?) pour le **«Quatro»**, soit le **téléphone**

fixe, **Internet**, la télévision avec la **trentaine de chaînes** et l'abonnement au **cellulaire** avec appels entrants illimités jusqu'à ce que votre batterie vous lâche.

Comment parler à un être humain quand on téléphone à une entreprise ?

En général, en poussant plusieurs fois sur le 0, il est possible de parler à un être humain plutôt qu'à un robot. Par exemple, pour Bell Mobilité, il suffit d'ignorer tous les messages et d'appuyer sans cesse sur le 0 pour enfin trouver quelqu'un.

Dans la plupart des cas, cet humain s'exprimera néanmoins comme un robot. Prévoir qu'il dira avant la conversation : *Bonjour-mon-nom-est-Gérard* (il invente) *-comment-puis-je-vous-aider-aujourd'hui* ; après celle-ci *Y-a-t-il-quelque-chose-d'autre-que-je-peux-faire-pour-vous* et enfin *Merci-d'avoir-choisi-Rogers* pendant qu'une voix vous aura prévenu que la conversation peut être enregistrée «pour améliorer la qualité du service» (c'est pour virer Gérard).

L'appel conférence à trois est utilisé notamment par ceux qui veulent organiser méthodiquement une partouze par Bell ou un autre opérateur puisque chacun peut parler à deux personnes en même temps. La procédure est un peu compliquée :

> *composer le premier numéro et parlez au premier membre de votre trio infernal ;*
> *appuyer sur flash ;*
> *appuyer sur étoile puis 71 ;*
> *composer le numéro du complice ;*
> *appuyer sur flash ;*
> *vous êtes maintenant réunis.*

Interurbains et internationaux

Pour l'international, composer le 011 suivi de l'indicatif du pays et de la région sans le 0.

Pour l'interurbain, composer le 1 avant le préfixe régional et le numéro. Les États-Unis ne sont pas considérés comme international mais comme interurbain.

Les plans

Il faut toujours avoir un « plan » ou une carte d'appels prépayée, sinon c'est hors de prix. Étant donné que chacun tente de s'aligner sur le meilleur, les offres changent en permanence. Il est donc préférable d'appeler votre fournisseur pour négocier sans pitié un plan.

Il existe également des compagnies qui proposent un tarif réduit sans abonnement ni inscription. Il suffit de former un code avant de composer son numéro.

Par exemple :

> **10-10-710** (suivi du 011...) coûte 99 cents pour 30 à 40 minutes de conversation avec la plupart des pays d'Europe.

> **Yak** offre également des forfaits intéressants pour la France (*1-800-490-7235, www.yak.ca)*

> Mais le moins cher demeure bien sûr **Skype** qui ne coûte strictement rien pour parler d'ordinateur à ordinateur. Malheureusement, votre mère ne comprend rien à Skype, je sais (*www.skype.com*).

Les indicatifs spéciaux

Les numéros commençant par 1-800 et dérivés (866, 877, 888, etc.) sont toujours gratuits alors que les préfixes 900 et 976 sont toujours payants mais un message vous informe immédiatement du tarif.

Téléphoner gratuitement de France au Canada

Les abonnés français au forfait Freebox peuvent appeler gratuitement et sans limitation de durée au Canada et aux États-Unis.

Les cartes prépayées

Il y en a au moins 30 différentes sortes dans tous les dépanneurs, parfois spécialisées dans tel ou tel pays, avec ou sans frais d'appel. Beaucoup d'entre nous utilisent Globo mais bon, ça n'a rien d'obligatoire. La seule vraiment chère est la carte Bell. Pour le reste, il est préférable de choisir une carte avec frais de connexion en cas de multiples utilisations.

Facturation et problèmes de paiement

La plus grande fantaisie règne dans la facturation des appels et la gestion des comptes clients. Vérifiez chaque facture et ne vous laissez pas faire. En cas de problème, demandez le superviseur.

Si vous ne payez pas, on vous coupe. Plus moyen ni de recevoir ni d'émettre des appels. À défaut de trouver un arrangement avec votre opérateur, essayez **Québec Reconnect** *(1-800-523-8190, www.quebecreconnect.com)*, qui propose un rebranchement par prépaiement. Si votre ligne n'a pas encore été coupée, vous gardez le même numéro. Sinon, on vous en donne un nouveau. Le prix : 94 $ pour la connexion et un mois de service. Puis 53 $ par mois.

Portables (cellulaires)

> En général, les téléphones portables européens fonctionnent s'ils sont tribandes.

> Sauf forfait particulier, on paie toujours les appels que l'on reçoit, c'est un pur scandale.

> Rien ne permet de distinguer un numéro de cellulaire d'un numéro fixe.

> La TNSF (la prononciation de cet acronyme provoque un léger picotement dans le nez) désigne la Transférabilité des Numéros Sans Fil. Elle permet aux consommateurs de services sans fil de conserver le même numéro de téléphone lorsqu'ils changent de fournisseur de services tout en demeurant dans la même grande zone métropolitaine ou dans la même zone d'appels locaux. Pratique, si vous êtes insatisfait de votre fournisseur.

> Le tarif appliqué est le tarif zonal, dont le montant dépend du type de contrat, à moins que l'on se trouve à l'extérieur de sa zone. On

paie alors l'interurbain et c'est très cher.

> Les appels sont facturés à la minute. Toute minute entamée est due, sauf chez quelques opérateurs qui facturent à la seconde. Les autres vont suivre à mon avis. Enfin, les couvertures offertes varient selon les opérateurs. Très peu d'opérateurs couvrent par exemple le nord du Québec.

> La plupart des Européens se ruinent avec les cartes de cellulaire prépayées.

> Sur les autoroutes, il n'y a pratiquement pas de bornes d'appels d'urgence. Un cellulaire est donc utile (spécialement par − 30 °C).

Acheter un téléphone cellulaire et obtenir une ligne

Concrètement, vous allez dans n'importe quelle boutique Bell (ou Rogers ou Fido...), et vous achetez un cellulaire. Pour la ligne, le vendeur appelle Bell (Rogers,...) après vous avoir demandé des tas de renseignements qui ne visent qu'à savoir si vous paierez. Comme vous êtes Européen et n'avez pas d'histoire de crédit, on vous demande souvent un dépôt de sécurité et deux pièces d'identité.

Les principaux fournisseurs :

> **Bell Mobilité**
Le réseau le plus étendu au Canada et possibilité de rabais sur les

autres services (télévision et téléphonie résidentielle). Frais d'activation et facturation à la minute
(*1-800-667-7626, www.bell.ca*).

> **Solo Mobile**
Facturation à la seconde. Pas de
frais d'activation (*1-877-999-
7656,www.solomobile.ca*).

> **Rogers Wireless**
Réseau d'excellente qualité, mais
beaucoup moins étendu que celui
de Bell. Frais d'accès au réseau et
facturation à la minute (*1-888-
764-3771, www.rogers.com*).

> **Fido**
Appartient à Rogers. « Fournisseur
de services sans-fil canadien le
plus apprécié de ses abonnés en
2007. » Facturation à la seconde.
Ne couvre pas toutes les régions.
Mais Fido vous prévient lorsque
vous vous approchez dangereuse-
ment de la limite de votre forfait
(*1-888-945-3436, www.fido.ca*).

> **Telus**
Utilise le réseau de Bell, et couvre
donc tout le Canada. Frais d'activation et tarification à la minute (*1-
866-558-2273, www.telusmobility.
com*).

> **Koodo**
Filiale de Telus. Pas de frais d'activation, tarification à la seconde
(*1-866-995-6636, www.koodomo-
bile.com*).

> **Virgin Mobile**
Est un opérateur virtuel, qui ne
dispose donc d'aucun réseau mais
utilise sous licence ceux des compagnies en place. Pas de frais d'activation, tarification à la seconde.
Selon moi, la seule compagnie
qui soigne vraiment son image de

marque (*1-888-999-2321, www.
virginmobile.ca*).

> Pour une petite utilisation, le plus
économique est le **PC Mobile**,
cellulaire prépayé. PC signifie
« President's Choice », oui, oui,
la grande surface appartenant
à Loblaws. Ils offrent un téléphone à bas prix, des tarifs très
concurrentiels et, bien souvent,
des bons d'achats dans l'épicerie.
Peu connus du grand public, ces
services valent vraiment la peine
(*President's Choice Mobile, 1-877-
284-6361*).

***Pour rester informé: http://mo-
bilitequebec.blogspot.com***

Se plaindre d'un opérateur: appelez le CRTC au 1-877-249-2782.

Internet

Il n'existe plus de fournisseur d'accès gratuit depuis mon installation à
Montréal. Les fournisseurs les plus
connus:

> **Bell Internet** (*514-310-4683*)

> **Videotron** (*1-877-512-0911*)

> **Cogeco** (*1-866-384-4837*)

Mais certaines petites sociétés offrent parfois de meilleurs tarifs.

> **B2B2C**
se présente comme « l'alternative
aux grands réseaux » (*1-800-965-
9065, www.b2b2c.ca*).

> **Radioactif.com**
déclare « Vive Internet libre » et
n'impose pas de contrat (*514-528-
9222, www.radioactif.com*).

> **Cooptel**
> est la seule coopérative de télé-communications du Québec. À ce titre, elle redistribue ses bénéfices à ses membres ou à des organismes charitables *(1-888-532-2667, www.cooptel.qc.ca)*.

> **Micro-Expansion Plus**
> revendeur d'accès Internet. En général moins cher que les gros fournisseurs, et possibilité de télécharger jusqu'à 200 Go par mois *(514-279-4464)*.

En attendant, il existe des boutiques type «cybercafés» :

> **BattleNet.24**
> Ouvert 24h/24, 7 jours sur 7. Il y en a plusieurs dans la ville *(3483 av. du Parc, 514-845-4433)*.

> **Allô Copie** *(928 av. du Mont-Royal E., 514-523-2488)*

> La plupart des **Starbucks** et des **Café Dépôt** (Starbucks québécois) offrent une connexion.

> **Toutes les bibliothèques de la ville de Montréal.** Gratuit.

Il existe aussi d'autres merveilleux endroits où vous pouvez passer à peu près la journée à observer les Montréalais tout en restant connecté gratuitement en Wi-Fi :

> **Èm Café** *(5718 av. du Parc, 514-303-5735)*

> **Lapin pressé**
> Leur spécialité : le *grilled cheese*. Tous les Québécois connaissent ce plat, et vous aussi : on prend deux tranches de pain blanc que l'on beurre des deux côtés, une à deux tranches de cheddar jaune Kraft que l'on place au milieu. On

grille dans une poêle en pressant le sandwich pour que ça déborde. On pourrait croire que c'est un croque-monsieur sans jambon, mais non. C'est le truc jaune qui fait toute la différence *(1309 av. Laurier E., 514-903-3555)*.

> **Juliette et Chocolat**
> Dans un décor zen *(377 av. Laurier O., 514-510-5651)*.

> **Café Santé Veritas** *(480 boul. St-Laurent, 514-510-7775)*.

Île sans fil, un organisme communautaire qui prône la gratuité du Net, a créé 150 points d'accès au sein de Montréal. Il suffit de se créer (gratuitement) un compte usager sur *www.ilesansfil.org*.

Télégramme

Comme on le sait, le télégramme a pratiquement disparu d'Europe et d'ailleurs. Mais on peut retrouver le charme du je-t'aime-et-te-désire-stop en le dictant à l'opératrice chez :

> **Télégramme Plus**
> Le message est ensuite transmis par téléphone à votre correspondant (vérifier le numéro) puis adressé par courrier. Ce document a valeur légale, ce service étant tout à fait sérieux, quoique n'appartenant pas à la Poste. Coût pour l'Europe : à peu près 50 $ pour 50 mots. **Paiement par cartes de crédit seulement** *(1-800-350-0590)*.

Un dernier mot avant de téléphoner

Au Québec, on dit « allô » pour dire bonjour ;

pour dire allô, on dit : allô et

pour dire au revoir, on dit bonjour ;

« fait que » pour dire

« allô, bonjour »

on dit

« allô, allô ».

Avoir un **compte** en **banque**

Fraîchement débarqué...

Il est difficile de trouver un logement sans compte en banque à Montréal, et il est impossible d'y trouver un compte en banque sans logement : les banquiers réclament parfois un bail ou une preuve d'adresse, par exemple une facture. C'est un peu comme en Europe. À part ça, le reste est très différent. Car l'un des charmes bancaires de l'Amérique du Nord consiste à vider peu à peu nos comptes tantôt à coups de 60 cents pour encaisser un chèque, tantôt à plus d'un dollar pour retirer de l'argent au comptoir de sa propre banque et quelques cents encore pour effectuer des opérations sur Internet ou dans un guichet. Le tout avec le sourire bienveillant des gens qui vous rendent vraiment service.

Il existe un site gouvernemental qui vous aide à choisir le type de compte qui vous convient. En considérant le nombre de chèques, de retraits et de factures que vous pratiquez en moyenne, le robot choisit pour vous : www.acfc.gc.ca

Leçon de survie ↘

Changer de l'argent

Évitez les banques et consultez ***www.oanda.com*** avant de faire des bêtises, car ce site comprend tout, y compris un historique des taux. Un des meilleurs taux : **Calforex**, rues Peel et Sainte-Catherine *(1230 rue Peel, 514-392-9100)*.

Ouvrir un compte en banque

Présentez-vous à la banque de votre choix avec les documents qu'elle vous aura demandés d'apporter car vous aurez pris le soin de l'appeler pour prendre rendez-vous. Si vous manquez de ces petits papiers administratifs, mais que vous attendez un gros transfert d'argent, les banques montreront une souplesse qui étonnerait bien des profs de yoga.

Obtenir une carte Interac

J'ai longtemps cru qu'elle s'appelait *Interact* à cause de *c'est correk*, mais c'est vraiment Interac. Elle est faite sur place et vous l'obtenez de suite.

Le Canada comptait en 2005 près de 1 700 guichets bancaires par tranche d'un million d'habitants, c'est-à-dire plus que tout autre pays.

Mais on vous demande une petite participation aux frais, car les banques canadiennes n'ont affiché qu'un bé-néfice net de 12,2 milliards de dollars en 2008. On distingue donc :

> › les **frais de transaction réguliers** qui dépendent de votre accord avec votre établissement ;

> › les **frais d'accès au réseau**, lorsque vous utilisez un guichet d'une autre banque que la vôtre ;

> › les **frais de commodité** du type NTM (voir p. 58). En choisissant une banque disposant de guichets automatiques sur vos lieux de passage, vous témoignez donc d'un sens aigu de la gestion qu'appréciera vraiment votre papa.

Obtenir des chèques

Demandez-les. On vous les fournit dans la semaine. C'est payant bien sûr.

Payer

Le chèque

N'étant ni garanti ni couvert par la banque, le chèque n'est pas accepté partout. On ne l'emploie que pour payer son loyer, le téléphone et l'électricité.

Si vous déposez un chèque reçu à votre banque, votre compte ne sera crédité de son montant qu'une dizaine de jours plus tard (la banque vérifie sa validité, paie les sandwichs avec les intérêts et place le reste dans des barrages hydroélectriques). Le chèque sans provision n'est pas poursuivi pénalement : votre crédit s'en trouve évi-demment affecté, mais rien de plus.

Interac / carte de débit

La plupart du temps, on n'impose pas de montant minimal, parfois 5 $. La banque vous débite des frais, bien entendu. Quand vous payez par carte, le terminal vous demande « Quel compte ? ». La réponse est généralement « compte chèque », ce qui signifie compte courant.

Dans les grandes surfaces et la plupart des dépanneurs, on peut vous donner de l'argent (qu'on ajoute à votre note), si vous payez par Interac.

ARRÊT STOP

ATM = NTM

Quand vous retirez de l'argent dans une machine ATM, le propriétaire du resto ou du bar encaisse 1 $, ATM prend 1 $, et Interac sa commission habituelle. C'est ainsi que 20 $ coûtent 24 $. Historiquement, on nous avait dit que les guichets automatiques, diminuant les frais de personnel, économiseraient les nôtres – ou je rêve ? Pour moi, j'engueule le propriétaire du restaurant et je sors.

La carte de crédit

On l'emploie sans restriction et sans minimum. Un bon conseil : gardez votre carte de crédit européenne (c'est-à-dire un compte dans votre pays) le plus longtemps possible même si ça vous coûte cher. Sans carte, il est presque impossible de louer une voiture, et très difficile de réserver un hôtel par exemple.

Obtenir une carte de crédit au Québec, tant que vous n'avez pas d'historique de crédit, ce qui prend habituellement un an, est pratiquement impossible. Un émigré européen, engagé dans une grande banque de Montréal, n'a pas réussi : sans vous décourager, je ne vois pas comment vous y arriveriez si vous n'avez pas encore de travail. Certaines banques acceptent (rarement) qu'en déposant 1 000 $ sur un compte, vous souscriviez à une carte avec limite de dépense de 500 $. Toutefois **Objectif Québec** (*www2. objectifquebec.org*) a passé un accord avec une succursale Desjardins, afin de faciliter la procédure — pour autant que vous soyez membre de l'association. **Caisse populaire Desjardins du Mont-Royal** (*435 av. du Mont-Royal E., 514-288-5249*).

Il est également possible d'acquérir une **Mastercard prépayée** en vous rendant dans un bureau de Insta-Chèques. La carte coûte 20 $ et on effectue un dépôt minimal de 10 $. Cette carte n'est accessible qu'aux résidents permanents ou aux citoyens canadiens.

Le virement

Le virement est toujours possible entre clients d'une même banque. Entre banques différentes, il y a des frais comme au temps où il fallait transférer tout ça sur un cheval vers l'Ouest. Comme on dit sur TF1, renseignez-vous auprès de votre établissement bancaire le plus proche.

Encaisser un chèque : il y a trois solutions

> Le déposer sur votre compte et attendre une dizaine de jours.

> L'encaisser à la banque du signataire.

> L'encaisser en liquide chez **Insta-Chèques** (3 % de commission plus frais administratifs) surtout s'il s'agit d'un chèque de société. Vous devez fournir quelques informations préalables. Pour connaître le bureau Insta-Chèques le plus proche et les heures d'ouverture, allez sur ***www.moneymart.ca*** (car ça veut dire Insta-Chèques en anglais). Le guichet de la rue Atwater est ouvert les jeudi et vendredi jusqu'à minuit, sinon jusqu'à 23 h *(514-935-6027)*.

Recevoir de l'argent d'Europe

Par banque

> Évitez les chèques.

> Demandez à votre banque ses coordonnées internationales.

> Soyez prévenus du jour de l'envoi.

> Attendez cinq jours.

> Après ce délai, réclamez.

Par Western Union

Cher mais ultra rapide, sauf pour connaître le plus proche (il faut appeler le 1-800-235-0000, composer successivement le 1, le 2, encore le 2, le 3, et le 1 pour entendre finalement un robot vous conseiller d'aller sur ***www.westernunion.com***.) L'argent est disponible dans l'heure de son envoi, d'où qu'il vienne. Vous le retirez en espèces à n'importe quel bureau Western Union.

Par mandat postal

Plus rapide que la banque et moins cher que W.U. La Poste vous avertit quand l'argent est arrivé. Vous pouvez aller le chercher dans une pharmacie où sont installés presque tous les bureaux de poste à Montréal et en banlieue.

Vous êtes timbré

En envoyant votre photo préférée à Postes Canada, ils en font des timbres qui peuvent affranchir vos courriers. On peut commander tout ça en ligne sur www.postescanada.ca.

Déposer de l'argent sur votre compte

On peut bien entendu déposer de l'argent « au comptoir » de la banque. Mais au Québec, il existe un système permettant d'approvisionner son compte en passant par le guichet automatique, qu'il s'agisse d'un chèque ou d'espèces. Il suffit de placer l'argent (ou le chèque) dans une enveloppe située au guichet automatique et de déposer ensuite l'enveloppe dans l'appareil. Aussi bizarre que cela paraisse, il n'est pas sûr que vous puissiez disposer immédiatement de l'argent que vous venez de déposer car certaines banques le « gèlent » (il y a des génies qui ne déposent rien dans l'enveloppe,

il faut donc que l'employé-nain qui habite à l'intérieur de la machine vérifie le contenu de celle-ci).

Pour éviter le « gel » de votre argent, demandez un « transit » à votre banquier en écoutant attentivement ce qu'il vous dira en petits caractères.

Retirer de l'argent de votre compte européen est possible pour la majorité des cartes européennes. Vous faites votre code dans un distributeur, et c'est tout.

Les banques européennes ne peuvent offrir de services « réguliers » aux particuliers. Si vous disposez d'un compte au Crédit Lyonnais, par exemple, vous ne pouvez l'utiliser à Montréal, étant donné qu'ils ont placé toutes vos économies à Hollywood.

*Big Brother s'appelle en québécois **Equifax**. Cet organisme a pour objet d'identifier la solvabilité (« le crédit ») des citoyens. Chaque fois que vous voulez acheter à crédit, Equifax vous identifie grâce au numéro d'assurance sociale (NAS) que vous donnez au vendeur et vous attribue une note comme à l'école. Concrètement, si vous êtes endetté, Equifax vous permet d'accéder immédiatement à la misère, car plus personne ne vous prêtera une tune. C'est magique. En plus, ce n'est pas leur faute, c'est l'ordinateur.*

Se loger
à Montréal

Leçon de survie

Le taux d'inoccupation à Montréal est de **2,4 %** (autrement dit, sur 100 appartements locatifs, 2 sont libres), mais pour les bas de gamme, ce taux tombe à 0,9 %. Il est donc assez difficile de trouver rapidement ce que l'on cherche. Beaucoup d'Européens choisissent de s'installer dans un meublé en attendant de trouver mieux. Ils dépriment ensuite après trois jours (à cause des meubles). Mieux vaut faire son nid au plus vite.

Avant de louer quoi que ce soit, il faut savoir que

> La **superficie** est calculée en pieds carrés. Pour savoir combien ça fait en mètres carrés, divisez par 10 : 600 pieds carrés = (à peu près) 60 m² .

> Le **nombre de pièces** figure devant la fraction ½. Un 3 ½ compte ainsi 3 pièces. Le ½ est la salle de bain.

> Le **chauffage** est compris dans beaucoup d'immeubles de type *building*. La loi n'exige aucune température minimale en hiver, mais les usages la fixent à 21 °C.

> Le **loyer** est net. Il ne faut pas y ajouter de taxes.

> Les **baux** sont conclus pour un an, et se terminent en général à la fin juin. Contrairement à ce que croient beaucoup de locataires, y compris québécois, la résiliation du bail, même avec préavis de trois mois, est interdite sauf cas exceptionnels (notamment si votre sécurité ou celle d'un enfant qui habite avec vous est menacée en raison de la violence d'un conjoint ou d'un ex-conjoint ou en raison d'une agression à caractère sexuel, même si l'agresseur n'habite pas avec vous). Vous pouvez bien sûr négocier un arrangement amiable avec votre propriétaire qui vous

laissera partir pour autant que vous trouviez un remplaçant.

> Il est toujours possible d'échanger votre appart à Paris contre un autre à Montréal. Renseignements auprès des organisations : **France-Québec** *(www.France-quebec.asso.fr)*, **Homelink Intl** *(www.homelink.org)* ou **Intervac** *(www.intervac.com)* et bien sûr ***www.craigslist.org***.

> Les loyers montent avec l'ascenseur : dans un immeuble, plus on est haut, plus c'est cher.

> La plupart des propriétaires repeignent l'appartement avant chaque nouveau locataire. Ce serait encore mieux s'ils savaient peindre (on dit « peinturer » en québécois, on dit « peinturlurer » quand on voit le résultat).

> Il n'y a pas d'état des lieux.

> Il n'y a pas d'assurance obligatoire.

> Dans de nombreux immeubles, il n'y a pas de 13e étage.

Le formulaire de bail de la Régie du logement doit être utilisé pour tout nouveau bail d'habitation, que ce soit pour une chambre, un appartement, un logement en copropriété ou une maison. En vente dans les dépanneurs. Et les pharmacies bien sûr.

Colocs

Certains locataires cherchent un « coloc ». *Hard* comme entrée au Québec mais pourquoi pas. Se renseigner sur les habitudes, surtout si vous êtes fumeur, bordélique, carnivore et obsédé sexuel (beaucoup de Québécois sont non fumeurs, organisés, végés et obsédés sexuels). Néanmoins en 2007, une Québécoise a été accusée d'avoir assassiné son colocataire avant de le découper en morceaux.

Trouver un logement

Les journaux

La Presse, *Le Journal de Montréal*, *Le Devoir*, *Montréal Métro*, et *24h Montréal* publient des petites annonces.

Trois hebdomadaires publient également des offres de location : *Voir* ainsi que *Hour* et *The Mirror*. Ils paraissent tous le jeudi. *Voir* a mis en ligne un site payant permettant d'être informé plus rapidement. On trouve ces journaux un peu partout, notamment dans les bars, les galeries commerciales, certains commerces, etc.

> *Voir* et *Hour*
> *(355 rue Ste-Catherine O., 514-848-0805)*

> *Mirror*
> *(465 rue McGill, 3e étage, bureau 100, 514-393-1010)*

Internet

> *www.acam.qc.ca*

> *www.appartalouer.com*

> *www.craigslist.org*

> *www.kijiji.ca*

> *www.logementmontreal.com*

> *www.lespac.com*

> *www.voir.ca/petitesannonces*

Associations d'aide au logement

> **La Maisonnée**
> *(6865 av. Christophe-Colomb, 514 271-3533, info@lamaisonneeinc.org)*

> **Objectif Québec**
> Logements recommandés par les membres *(www2.objectifquebec.org)*.

> ▸ **ROMEL** : regroupement des organismes du Montréal Ethnique pour le logement *(6555 ch. de la Côte-des-Neiges, bureau 400, 514-341-1057, grt@romel-montreal.ca)*.

> ▸ **Hirondelle**
> Organisme d'aide aux nouveaux arrivants *(4652 rue Jeanne-Mance, 2ᵉ étage, 514-281-2038)*.

> ▸ **Centre des femmes de Montréal**
> *(3585 rue St-Urbain, 514-842-4781)*

> ▸ **Montréal Accueil** c/o Consulat Général de France
> *(1501 Mc Gill College, bureau 1000, montrealaccueil@yahoo.fr)*

> ▸ **CSAI** (centre social d'aide aux immigrants)
> *(6201 rue Laurendeau, 514-932-2953)*.

> ▸ **Regroupement des comités logements et associations de locataires du Québec** : il y a en moyenne un comité par quartier qui peut vous aider pour la plupart des problèmes locatifs *(514-521-7114)*.

> ▸ **Les coopératives de logement** proposent des appartements à prix réduits à certaines conditions : le locataire doit, en plus de payer son loyer, prendre soin de l'immeuble et participer aux réunions de colocataires (qui a encore laissé entrer un orignal dans la salle de bain ?). Il faut être parrainé. Pour obtenir la liste des coopératives : **FECHIMM** *(3155 rue Hochelaga, bureau 202, 514-843-6929)*.

Les droits du locataire à Montréal

> ▸ Il est interdit de demander au locataire une **caution locative**, sauf s'il s'agit d'un bail commercial. Le propriétaire ne peut pas exiger de versement dépassant un mois de loyer.

> ▸ Il ne peut pas non plus exiger des **sommes additionnelles** à titre de dépôt quelconque (remise des clés, etc.).

> ▸ Il ne peut exiger de **chèques postdatés** (cas fréquent à Montréal).

> ▸ La présence de ce type de clauses dans les baux est sans effet.

> ▸ L'**assurance résidentielle** n'est pas obligatoire.

> ▸ Le propriétaire peut demander la **résiliation du bail** en cas de retards de paiements fréquents mais il doit prouver que ces retards lui portent préjudice.

> ▸ En cas de **non-paiement**, la procédure est la suivante : le propriétaire doit adresser une requête à la Régie du logement en vue de demander l'éviction et/ou le paiement du loyer. Le locataire dispose alors de 10 jours pour contester par écrit. Si le locataire paie avant que le jugement devienne exécutoire (à peu près un mois à compter de la décision), il peut éviter l'éviction.

La Régie du logement est un organisme gouvernemental siégeant comme un tribunal, logé dans une pyramide au sein d'un Village olympique, le loyer doit être pharaonique *(Village Olympique, Pyramide Ouest, (D), 5, 5199 rue Sherbrooke E., 514-873-2245, www.rdl.gouv.qc.cq)*.

8

Acheter, louer, conduire une voiture

Leçon de survie

Acheter une voiture

Neuve

La presse fourmille de propositions de «location» (*leasing*). L'idée est de payer un montant mensuel ainsi qu'un montant de base, le *cashdown*. Le nombre de kilomètres est limité par an. Après quatre ans, selon le contrat, on choisit de rendre la voiture ou de la racheter pour le prix résiduel. L'entretien est à la charge du locataire mais les assurances comprises dans le prix de la location couvrent tous les ris-

ques. (Il est possible en cours de route de transférer la location à un amateur grâce à *www.leasebusters.com*).

D'occasion («seconde main» ou «usagée»)

Il peut s'agir d'une voiture arrivée en fin de location ou de la voiture de Mme Tremblay. Consultez les petites annonces. Mêmes dilemmes et mêmes arnaques qu'en Europe. Les spécialistes conseillent cependant de **ne pas acheter dans les encans privés et grossistes en voitures d'occase**.

Une spécialité locale

L'indigène sortant soudain d'un fourré, fortement intéressé par la voiture que vous êtes en train d'acheter et qui propose le double. Fuyez, c'est son beau-frère.

En dessous de 2000 $, il y a peu de chance que ce soit une affaire.

Pour éviter les surprises

> Il n'existe aucun **contrôle technique** obligatoire au Canada.

> Les **voitures américaines** ont très mauvaise réputation auprès des garagistes.

> On trouve difficilement des voitures **diesel** et le (vrai) **gaz** n'existe pas. Néanmoins quelques Québécois roulent à l'huile de friture usagée, qu'ils appellent joliment **l'huile à patates frites**.

> Le Club Automobile (CAA) peut vérifier 150 points du véhicule et faire un essai routier.

> Vous pouvez vous informer sur l'état « juridique » de la voiture d'occasion que vous voulez acheter (appartient-elle réellement à son propriétaire ? Est-elle affectée d'une dette quelconque ?) auprès du Registre des droits personnels et réels mobiliers *(514-864-4949, www.rdprm.gouv.qc.ca)*.

> Vous pouvez vous renseigner sur la validité du permis de conduire du conducteur auquel vous voulez prêter votre véhicule *(1-900-565-1212)*. Il en coûte 1,50 $ par appel.

> Vos oreilles européennes ne détecteront pas les bruits américains dans des voitures spécialement insonorisées et automatiques.

> Le « prix de liste » d'une voiture usagée se trouve sur ***www.auto-hebdo.net***.

L'immatriculer

Aller à la **SAAQ** (se rendre à la SAQ serait une mauvaise idée pour demander une plaque) avec :

> Une **attestation de l'achat**, si vous avez acheté votre voiture à un commerçant.

> La plaque ou l'ancien certificat d'**immatriculation**, si c'est une voiture d'occasion (si le vendeur est un particulier, il doit venir avec vous à la SAAQ).

> Un **moyen de paiement** ; il vous en coûtera environ 300 $.

> L'immatriculation se paie annuellement à la réception de la facture mais le mois de facturation dépend de votre **nom de famille**.

Société de l'Assurance automobile du Québec : *855 boul. Henri-Bourassa O., 514-873-7620.*

L'assurer

L'assurance dommages corporels des tiers et du conducteur est financée par la **SAAQ** grâce aux diverses taxes payées par les automobilistes, notamment sur le permis de conduire. Il s'agit d'un système d'assurance « sans fautes » de sorte que la victime comme le responsable sont indemnisés selon des tarifs fixes. Ce régime est spécifique au Québec.

En revanche, pour l'assurance dommages matériels, il faut contracter avec une compagnie.

Le mieux consiste à faire appel à un courtier d'assurances qui vous conseillera.

On recommande aux Européens d'apporter d'Europe toutes les attestations utiles pour diminuer le montant des primes.

Louer une voiture

Il est impossible de louer une voiture sans carte de crédit et si l'on a moins de 21 ans. Il ne faut pas espérer non plus connaître le prix que l'on paiera vraiment si l'on ne demande pas trois fois au préposé d'ajouter les taxes, les assurances, le prix des kilomètres supplémentaires et son prénom (pour en parler au «superviseur» en cas de problème).

> **Alamo**
Propose des «aubaines de dernière minute», et un programme de reboisement *(1-877-222-9075)*.

> **Avis**
100 % non fumeur, voilà que l'industrie automobile nous donne des leçons sur l'environnement, *(1-800-230-4898)*.

> **Discount**
«Plus de route. Moins de dépenses», dit le slogan publicitaire *(607 boul. de Maisonneuve O., 514-798-7235)*.

> **Enterprise**
«Vous ne pouvez pas vous rendre jusqu'à nous ? We'll Pick You Up.™ (certaines restrictions s'appliquent, *guys*», *1-800-261-7331)*.

> **Hertz**
(1-800-263-0678)

> **Jean Légaré**
Loue également des fourgonnettes avec emplacements pour fauteuils roulants *(1-888-534-6466)*.

> **National**
Si vous acceptez de payer 1,25 $ de supplément par location, cette somme servira de compensation pour les émissions de dioxyde de carbone (CO_2) générées en moyenne par la voiture louée *(1-800-227-7368)*.

ARRÊT STOP

Vive Via Route!

Besoin d'une voiture pour quelques heures seulement ? Via Route, une entreprise québécoise, propose des locations de quatre heures à des tarifs spéciaux. On peut également en louer pour la soirée.

Via Route *(5180 rue Papineau, 514-521-5221)*

De plus petites entreprises louent également des voitures à des prix souvent plus abordables. Par exemple:

> **Auto-Plateau**
> «Le plus important réseau au Québec bâti par des gens bien de chez nous.» Il veut dire «de chez eux» *(514-398-9000)*.

> **Bazoo**
> Un bazou, en québécois, est une vieille bagnole mais ils louent des voitures récentes *(514-386-2990)*.

ARRÊT STOP Louer une limousine

Maman, pourquoi les limousines ont-elles toutes des vitres teintées? C'est pour mieux t'embrasser mon enfant. Faire des trucs en tout genre dans une limousine coûte entre 125 $ et 150 $ l'heure, avec chauffeur privé. Si la voiture cahote, on dira que ce sont les nids de poule (Nite Life Limo , 514-881-6000).

La partager

Moyennant un dépôt annuel et une tarification kilométrique, il est possible de partager une voiture (le *carsharing*), un système qui a peut-être beaucoup d'avenir: **Communauto** *(514-842-4545, www.communauto. com)*.

On peut également profiter de la voiture d'un automobiliste se rendant à la même destination. C'est le **covoiturage**. Ainsi, dans le *carsharing*, on partage une voiture commune, tandis que dans le covoiturage, on utilise le service d'un autre. Chacun paie une cotisation annuelle.

Et les passagers paient une rémunération au chauffeur par trajet (Montréal–Québec, 19 $). On se renseigne sur *www.allo-stop.com*.

La conduire

Pour sauver l'honneur auprès des indigènes, sur les voitures automatiques:

> **D:** avancer

> **N:** point mort, neutre

> **R:** reculer

> **P:** position de parking

Cruise control signifie «vitesse de croisière». Dès que vous êtes arrivé à la vitesse souhaitée (par exemple 100 km/h) en pesant sur le gaz, pesez ensuite sur le piton (le bouton): le char avance tout seul que ça a pas d'bon sens. La *cruise control* est fortement déconseillée en cas de chaussée humide.

La conduite est pépère en général et rock 'n' roll en hiver. Les interdictions sont beaucoup plus respectées qu'en Europe. Par exemple, les Québécois s'arrêtent vraiment au **stop**. De leur côté, les anglophones stoppent vraiment à l'**arrêt** même s'ils ne voient personne, mais vraiment personne, dans tout le Nouveau-Brunswick.

Les Québécoises qui roulent en 4x4 ne cèdent pas le passage, ne permettent à personne de se rabattre et continuent droit devant. Historiquement, elles reprochent en effet à nos grands-parents d'avoir exploité leurs grands-mères entre 1865 et 1971.

Voir

Les panneaux qui indiquent les traversées d'orignaux. Les autres indications routières ne sont là que pour ceux qui connaissent déjà la route. Il est tout simplement impossible d'arriver à destination en se fiant aux panneaux.

Pouvoir

Permis de conduire : le permis européen est valable pendant les trois premiers mois d'un séjour touristique. Ensuite, on l'échange contre un permis québécois : se rendre à la SAAQ avec son passeport.

Savoir

> Sur autoroute, la vitesse maximale autorisée est de **100 km/h**. **Peu de gens la respectent**.

> Sur les routes principales : **90 km/h**.

> En ville : **40 km/h** dans les rues résidentielles locales de Montréal. Qu'est-ce qu'une rue résidentielle locale, Hubert ? Une rue dont la principale fonction est de permettre l'accès aux propriétés riveraines, Hélène. Dans les autres artères : 50 km/h.

> Quand les deux voies vont dans le même sens, elles sont séparées par une ligne **blanche**. Quand elles sont en sens opposé, par une ligne **jaune**.

> Mais de très nombreuses rues, qui ne sont pas à sens unique, ne peuvent pas être empruntées par la gauche : il faut regarder les flèches qui indiquent les directions autorisées à chaque croisement.

> Les **feux de circulation** se trouvent après l'intersection, ce qui est très déroutant pour nous. Arrêtez-vous avaaaaaaaaaaaaant !

> Quand le **feu clignote au vert**, cela signifie que ce n'est vert que pour vous (et non dans l'autre sens).

> L'**ARRÊT/STOP** : le premier arrêté est le premier à pouvoir redémarrer. C'est simple, non ? Et si on arrive tous en même temps ? Tout le monde s'arrête en même temps. Le premier qui peut partir est celui qui vient de droite. Étonnant car…

> La **priorité à droite** n'existe pas.

> Quand un bus scolaire est à l'arrêt (feux clignotants), il faut **absolument** s'arrêter, et ce dans les deux sens de la route.

La remplir et la gonfler

La remplir

Mémoriser le côté sur lequel se trouve le réservoir car les tuyaux des pompes à essence (qui s'appellent des boyaux) sont trop courts pour faire le tour de la voiture. J'offre un exemplaire dédicacé, un allongé et une grosse bise au premier qui m'explique pourquoi.

La gonfler

L'eau est toujours gratuite au Canada, mais l'air est souvent payant à raison de 50 cents pour quelques minutes d'usage du tuyau. Cet argent est versé aux enfants inadaptés. Il faut parfois demander à la fille de la station une **gage** (un manomètre). Pour la pression, gonflez autour de 30-35.

Il faut demander la clé de la salle de bain pour obtenir celle de **la toilette** car celle-ci se trouve à l'extérieur du bâtiment. Cette clé est accrochée à un morceau de tronc d'arbre pour éviter de la perdre.

La garer

Quand la Ville déneige votre rue (vers six heures du matin), elle enlève les voitures stationnées après avoir réveillé le quartier au son d'une sirène épouvantable. En se garant le soir, il faut donc vérifier qu'il n'y a pas de panneaux annonçant un prochain déneigement, sous peine de voir sa voiture déplacée.

> **Parcomètres:** on ne rigole pas avec «les parcomètres». Une minute de retard est une minute de trop. Ce sont des privés qui s'occupent de distribuer les «tickets» qui valent un minimum de 30 $ plus les frais administratifs. Et en plus, il faut vraiment payer les amendes, sans espérer qu'on vous oublie. Ils

se souviennent de ça aussi. On les comprend : en 2008, les contraventions pour stationnement illégal ont rapporté 53 millions de $ à Montréal.

> Le paiement des contraventions peut se faire en ligne *(http://ville. montreal.qc.ca).*

> ***www.maplace.ca*** propose un service de **réservation de stationnement en ligne**.

Les bornes de paiement fonctionnent exclusivement à l'énergie solaire et la prochaine éclipse se produira le 8 avril 2024.

> Comprendre pourquoi on a reçu un «**ticket**» est une opération plus douloureuse que de le payer, surtout en ce qui concerne le stationnement. Et tout cela est la faute de la Lyonnaise des Eaux qui a suggéré à la Ville de Montréal de céder ses stationnements à une société privée pour 76 millions de $. Seul problème, ladite société privée n'avait pas les millions nécessaires. Solution à la marseillaise : Montréal s'est portée garante d'un emprunt de 40 millions et la chaire de l'UQAM a déclaré que cette opération était un abus de bien public.

> **SOS TICKET** a été fondé en 2004 par un ancien policier de Montréal afin de contester les contraventions au Québec. Depuis lors, plus de 30 000 constats d'infraction sont passés entre les mains de cette fine équipe *(www.sosticket.ca).*

Le permis québécois

> Est un permis provincial et non national : il faut donc en changer quand on s'installe, par exemple, à Toronto ou dans n'importe quelle autre province.

> Sert de carte d'identité.

> Est un permis à points. Ils les appellent joliment les « points de démérite » ou « points d'inaptitude ».

Après une inscription de 15 points à votre dossier de conduite, les sanctions sont la **révocation** ou la suspension du permis. Le nombre de points ajoutés a également pour conséquence d'augmenter les primes d'assurance annuelle. Les infractions les plus coûteuses en points sont :

> Dépassements successifs en zig-zag : **4 points**.

> Omission de se conformer aux feux intermittents ou au signal d'arrêt d'un autobus scolaire : **9 points**.

> Excès de vitesse : **de 1 à 30 points**.

> Les contraventions pour stationnement n'ont pas d'effet sur les primes d'assurances.

(Pour toute info : 514-873-7620)

Recommandations de Transports Québec en cas de problèmes liés à l'hiver

Serrure des portières gelées

> Chauffez la clé avec un briquet.

Enlisement dans la neige

> Dégagez les roues motrices avec une pelle, tournez les roues de droite à gauche pour évacuer la neige et accélérez lentement. Si cette technique ne fonctionne pas, essayez le va-et-vient en gardant les roues bien droites.

> Demandez aux passants de vous aider. Vous apprécierez la solidarité québécoise. La neige est pour eux ce que l'accordéon est aux Français : ça les rassemble.

En cas de tempête de neige

> Se garer dans un endroit sûr.

> Allumer des dispositifs lumineux autour de la voiture à une distance de 30 m.

> Allumer les feux clignotants.

> Faire fonctionner le moteur et le chauffage pendant 10 minutes chaque heure en laissant à ce moment une fenêtre légèrement ouverte.

> Réchauffer l'intérieur avec des bougies.

> Éviter à tout prix de s'endormir, ce qui pourrait être fatal.

Tout savoir (ou presque) sur le *parking*

> On ne dit pas *parking* mais stationnement.

> Tout ce qui n'est pas interdit est autorisé (c'est normal).

> Tout ce qui n'est pas autorisé est sanctionné (c'est nord-américain).

> Toute sanction consiste en une amende (c'est chiant).

> Si l'on ne paie pas ses « tickets », on ne risque plus la prison mais le retrait des plaques d'immatriculation.

> La plupart des places de stationnement sont réservées certaines heures aux résidants. Pour se procurer une carte de résidant (autour de 75 $), composez le 311 et demandez le service de **stationnement réservé aux résidants**.

> Le stationnement devant une borne à incendie est interdit.

> Le stationnement sur la zone d'arrêt de bus est interdit. La sanction généralement appliquée par les chauffeurs de bus eux-mêmes consiste à pulvériser votre rétroviseur.

> Suivez la flèche de l'interdiction de stationner. Vers la rue : ce qui est interdit l'est jusqu'au prochain panneau ; vers le trottoir : fin de l'interdiction. Pas de flèche : toute la rue. Relisez ça trois fois en retenant votre respiration.

> Si votre voiture ne se trouve plus où vous l'aviez laissée, trois possibilités : premièrement vous avez abusé avec la Molson, deuxièmement on vous l'a volée, troisièmement elle est en fourrière ou dans une rue à proximité. Dans ce dernier cas, téléphonez au 311. On vous indiquera son emplacement ou la fourrière. Soyez germaniques avec les gens de la fourrière, ce sont des cowboys…

 Savoir où vous en êtes avec vos PV : appelez le Bureau des infractions et amendes (1-877-263-6337).

Le virage à droite au feu rouge (VDFR)

> Est interdit à Montréal.

> Est autorisé partout au Québec sauf là où il est interdit.

> Permet d'économiser 11,4 millions de litres de carburant par an.

> Et 4 millions d'heures aux automobilistes.

> Aurait causé la mort de 84 personnes par an aux États-Unis spécialement auprès des piétons de plus de 65 ans et des cyclistes.

> Les Montréalais disent que le VDRF est la chose la plus excitante sur la Rive-Sud.

Tout savoir sur les autoroutes

> Les autoroutes sont gratuites.

> Elles portent des numéros pairs, si elles vont d'est en ouest (A20, A40…) et impairs, si elles vont du sud au nord (A15, A25…).

> Le numéro d'autoroute est donc suivi du point cardinal de sa direction (A40 Ouest, A40 Est, A15 Nord, A15 Sud).

> On doit donc nécessairement savoir si Québec, par exemple, se trouve à l'ouest ou à l'est de Montréal, pour deviner quelle autoroute il faut emprunter pour s'y rendre.

> Les indications autoroutières ne servent dès lors que lorsque le ciel est assez dégagé pour repérer l'**étoile polaire** (qui indique le nord) : sortir de la voiture, se placer face à cette étoile tout en tenant les bras en croix. Votre main gauche indique la direction de Québec. Pour le nord-est, passez à travers champs comme Maria Chapdelaine quand elle allait chercher du pain[10].

> Les autoroutes portent également des **noms** qui ne servent strictement à rien mais changent selon la position GPS de l'observateur attentif. Par exemple, la 15 Sud s'appelle la 15 Sud à partir de la frontière des États-Unis à Saint-Bernard-de-Lacolle jusqu'à l'échangeur Turcot (A20 Ouest) à Montréal, ensuite elle devient l'autoroute Décarie jusqu'à la jonction avec la 40 Est, puis l'autoroute des Laurentides à partir de l'autoroute 40 à Montréal jusqu'à la route 117 à Sainte-Agathe. À cet endroit, elle s'arrête et vous êtes en plein bois.

Numéro	Nom
5	autoroute de la Gatineau
10	autoroute Bonaventure et autoroute des Cantons-de-l'Est
13	Chomedey
19	Papineau
20	autoroute 20, autoroute Jean-Lesage, autoroute 20 section Bic–Rimouski
25	Transcanadienne et 25
30	autoroute de l'Acier
35	autoroute de la Vallée-des-Forts
40	autoroute Félix-Leclerc
50	autoroute 50 puis autoroute de l'Outaouais
55	autoroute transquébécoise
73	autoroute Robert-Cliche, autoroute Henri-IV, puis autoroute Laurentienne
440	autoroute Laval, puis Charest, puis Dufferin-Montmorency
540	540 pendant 4,9 kilomètres puis Duplessis pendant 5,1 kilomètres
720	autoroute Ville-Marie

[10] Louis Hémond, Maria Chapdelaine, Boréal, 1988.

Lui faire passer l'hiver

> En automne, lui offrir un traitement à l'huile afin de protéger les bas de caisse.

> L'équiper de pneus à neige, obligatoires du 15 décembre au 15 mars. Une intéressante question juridique s'est posée dans le cas particulier des « snowbirds », soit les Québécois qui partent passer l'hiver en Floride. Doivent-ils s'équiper de pneus à neige pour se rendre à Miami ? Oui, sauf s'ils demandent un certificat spécial à la SAAQ.

> L'équiper d'un démarreur à distance (elle se réchauffe toute seule). Il est généralement interdit de laisser tourner le moteur plus de trois minutes à l'arrêt.

> Mettre de l'antigel dans le radiateur.

> Vérifier quotidiennement le liquide de lavage de vitres (contre le sel).

> La retrouver sous le tas de neige (parfois on ne la voit plus du tout). La dégeler (sèche-cheveux) ou l'empêcher de geler (graissage des serrures et du caoutchouc des portières).

> La déneiger, la déglacer avec un racloir spécial. En cas d'urgence, utiliser une boîte de lait (vide). N'oubliez pas le toit (pour celui qui est derrière vous).

> La faire sortir de l'ornière (cailloux, passant, planche antidérapante).

> Ne pas la laver tant qu'il gèle (la boue protège du sel).

> En cas de tempête de neige, prendre le métro.

L'entretenir, la réparer

Le dire

La plupart des garagistes indigènes emploient l'anglo-québécois pour désigner les pièces d'une voiture. Il est donc essentiel de prendre ce guide avant d'aller voir un garagiste (merci Hubert) :

alternatorbelt	courroie de l'alternateur
balberings	roulement à billes
bumper	pare-choc
brêk	freins
câble à bouster	câble de batterie
dash	tableau de bord
fiouse	fusible
fnèt	vitre
flâcheur	clignotant
lèkatflâcheur	les feux de détresse
mefflew	pot d'échappement
tailleur	pneu
towing	remorquage
wouaïpers	essuie-glaces

Le faire

Plus on s'éloigne des grandes villes, moins on risque de se faire arnaquer, disait Lao Tseu. C'est pourquoi, même en payant le « towing » (avant-dernier mot de la liste) pour sortir de Montréal, on gagne à faire réparer sa voiture à l'extérieur de l'île.

Moyennant une cotisation annuelle, le **CAA Québec** offre le remorquage et une assistance routière (nombre d'interventions limitées) comme il existe en Europe. Mais comme on est en Amérique, le CAA propose aussi une carte de crédit Mastercard CAA, une assurance maison, et des «dollars CAA Québec». L'association recommande également certains garages pour le sérieux de leur travail. **CAA** (1-800-222-4357 et sur les cellulaires : *CAA ; www.caaquebec.com).

La jeter

Le programme **Auto-Rein** : initiative de collecte de fonds de la Fondation canadienne du rein. Les automobilistes sont invités à donner à la fondation leurs vieux véhicules, qui sont ensuite recyclés écologiquement ou revendus (1-888-2AUTO-REIN ou 1-888-228-8673).

Adieu Bazou est une initiative du gouvernement du Canada, de la fondation Air pur et de ses partenaires, créée pour permettre aux conducteurs de véhicules très polluants de les retirer de la circulation et de les récompenser pour ce geste. Le programme vise le retrait d'au moins 50 000 véhicules par an jusqu'au 31 mars 2011 (www.adieubazou.ca).

ARRÊT STOP

Trousse utile en hiver

Transports Québec recommande de disposer dans sa voiture d'une trousse comprenant :

- un balai à neige ;
- un grattoir ;
- une pelle ;
- des plaques antidérapantes ;
- de l'antigel de canalisation d'essence ;
- des câbles d'appoint ;
- un sac de sable ou de sel ;
- une lampe de poche et des piles de remplacement ;
- une couverture chaude ;
- des allumettes et des bougies ;
- des bottes, une écharpe et un chapeau ;
- des fusées de détresse ;
- un fanion ;
- un détecteur d'oxyde de carbone.

Centre d'interprétation des points

Les pétro-points

Chaque tranche d'achat de 1 dollar à Pétro-Canada donne droit à des pétro-points.

Certains partenariats permettent également d'accumuler des points, de même que le cellulaire prépayé Petro-Canada Mobilité.

Les primes commencent à 500 points (une tasse de thé) et finissent à 800 000 points (une croisière en Alaska ou dans les Caraïbes).On peut donner ses points (par exemple à une société de bienfaisance) et les convertir (en points Sears par exemple).

Pour connaître le solde de sa carte : **www.petro-points.com** ou regarder sur le reçu qu'on vous donne à la caisse.

Les dollars CAA

Aussitôt que l'on s'inscrit au CAA, on peut accumuler des dollars CAA en effectuant ses achats auprès d'un « partenaire-participant ».

Par exemple, les Couche-Tard vendant de l'essence offrent un rabais de **2 ¢** par litre d'essence et de **3 %** sur tous vos autres achats en dollars CAA. Si vous recrutez un nouveau membre, c'est comme Herba-life, vous gagnez des dollars CAA. C'est un peu cheap, je suis d'accord.

Les dollars servent principalement à diminuer le montant de votre prochaine cotisation au CAA. On comptabilise ses points, on se renseigne et on réclame sur www.caaquebec.com ou au 1-800-222-4357.

Les dollars Canadian Tire

En effectuant des achats ou en prenant de l'essence chez Canadian Tire, on obtient des coupures de faux dollars. Contrairement à ce que je croyais à mon arrivée, il ne s'agit pas d'un cadeau pour les enfants. L'affaire est très sérieuse et le fruit des cogitations de Muriel Billes, épouse du premier président de la société, qui voulait concurrencer les autres fournisseurs offrant des grille-pains aux consommateurs. L'argent Canadian Tire est ainsi le plus ancien système de primes au Canada.

On peut utiliser ses dollars CT pour n'importe quel achat dans un Canadian Tire, sans limitation de durée. Il existe des coupures de 5, 10, 25, 50 cents, et 1 et 2 dollars. On reconnaît un vrai d'un faux billet en le tenant à la hauteur des yeux et en constatant la présence d'une feuille d'érable à droite de l'oreille gauche du type qui y est représenté et s'appelle Sandy MacTire, un Écossais qui n'a jamais existé mais rappelle à tous que les Écossais sont de grands économes.

Les **taxes**

Fraîchement débarqué...

À Dominique

J'ai un ami européen qui n'a jamais compris la différence entre les taxes et le service. Tout a commencé dans le taxi quand il est arrivé de Dorval et fini, je suppose, quand il a payé la taxe de départ, que l'on exigeait jadis pour quitter l'aéroport. Quand on lui parle du service, il demande si les taxes sont comprises, et quand il paie les taxes, il y ajoute le service. Jamais je n'ai pu lui faire saisir que les taxes s'ajoutent toujours, mais le service parfois. « Mais quand on achète des souliers, me dit-il, faut-il payer le service ? » Non, Dominique, disais-je, il faut simplement ajouter les taxes. « Mais pourquoi faut-il le payer dans les bars ? » À cause du salaire des serveuses. « Mais comment puis-je connaître le salaire des serveuses ? et pourquoi sont-elles moins bien payées que les vendeuses de chaussures ? » Son embrouillement me mêlait de jour en jour, mais j'avais décidé de tenir bon en récapitulant ce que je savais.

- Dominique, dis-je ce matin-là car j'étais en pleine forme, il faut ajouter des taxes à tous les produits que l'on achète, c'est la première règle.

- Quelles taxes ? me demande-t-il aussitôt pour me gêner.

- La taxe sur les produits et services, en abrégé TPS et la taxe sur les ventes au Québec, en abrégé TVQ, soit un total de 12,5 %.

- Est-ce une règle générale ? me demande-t-il avec le ton qu'a dû employer la femme de Newton lorsqu'il lui conta sa découverte.

- C'est une règle absolue et la raison pour laquelle aucun commerçant ne connaît exactement le prix de ce qu'il vend.

J'avais décidé de bien séparer les questions et de n'approfondir celle du service que lorsqu'il serait bien ferme sur les taxes mais voici ce qui me dégoûta. Le soir, il revint avec un Bordeaux sur lequel il n'avait payé aucune taxe et il me dit d'un air fâché que je ferais mieux d'apprendre les règles avant d'avoir la prétention de les enseigner.

- Comment ça, tu n'as payé aucune taxe ? lui dis-je.

- Ni TV Québec ni rien de tes trucs répondit-il avec un air furieux. Quand je pense que tu veux écrire un guide pour les Européens, ça va être beau !

- Et où as-tu acheté ce vin ?

- Dans un endroit où il est cher. Le Sac, saque, enfin quelque chose comme ça.

- Et ils n'ont pas ajouté de taxes ?

- Ils n'ont rien ajouté du tout, me dit-il en le débouchant. J'ai juste ajouté 15 % pour le service mais ils n'ont pas demandé de taxes.

J'aurais aimé lui apprendre qu'on ne paie pas de service quand on achète une bouteille de vin mais il m'aurait demandé pourquoi, alors, il faut le payer quand on en achète un verre. J'aurais bien dû boire toute la bouteille pour voir plus clair sur cette question et le vin est trop cher au Québec. À cause des taxes.

Leçon de survie

À part l'essence, les vins à la SAQ et les titres de transports, tous les prix sont affichés hors taxes (pour faire croire qu'ils sont moins chers. C'est ce qu'on appelle la politique fiscale de l'autruche). Quelles taxes ? La **Taxe sur les produits et services** fédérale est de 5 % ; et la **Taxe de vente du Québec** (TVQ) de 7,5 %. Le total des taxes est ainsi de 12,5 % (car la TVQ s'applique au prix hors taxes + TPS). Il est à peu près impossible de comprendre pourquoi la taxe est imposée sur tel produit plutôt que tel autre. Le principe est : tout est taxé. L'exception s'appelle viandes, fromages, fruits et légumes. Mais ce n'est pas si simple : il reste à savoir si l'aliment est prêt à être consommé ou non. Si vous achetez un poulet cru au supermarché, par exemple, vous ne payez pas de taxe. S'il est rôti, si. De même, si vous achetez six muffins, pas de taxe. Si vous en achetez un, si. Pour d'autres biens, la taxe est réduite, bref, tout ça est aussi joyeux que la TVA.

À ces impôts indirects s'ajoutent la taxe municipale et la taxe scolaire, toutes deux à charge des propriétaires d'immeuble et dont l'assiette est le prix de vente.

La question de savoir s'il est moins cher de vivre à Montréal qu'en Europe n'est pas si aisée à résoudre. La vie est moins chère qu'en Europe mais les revenus moins élevés également. Les loyers sont certainement beaucoup moins chers ici mais les salaires sont inférieurs (et les vacances plus courtes) à ce que l'on connaissait en Europe.

Les **salaires minimums**
(3 230 000 personnes concernées dont 60 % de femmes) sont de :

> **Taux général**
> 9,50 $ de l'heure

> **Salariés au pourboire**
> 8,25 $ de l'heure

Les **impôts directs** se partagent en taxes fédérales et provinciales. Pour tout savoir : **Revenu Québec** *(514-873-2600, www.revenu.gouv.qc.ca).*

10

Les Québécoises

Fraîchement débarqué...

À Louise

Mes amis exagèrent, projettent ou imaginent ; en tout cas ils mentent car ce qu'ils disent est impossible. Ils se vengent, règlent leur compte, affabulent. Ou bien ils généralisent : enfin, je ne sais ce qu'ils font mais il est impossible qu'elles fassent ce qu'ils disent.

Ils disent que les Québécoises partagent l'addition au restaurant, qu'elles entrent les premières dans les lieux publics, prennent le volant à leur mari et leur donnent des ordres qu'ils respectent. Mais qu'elles ne supportent pas d'obéir. Croient-ils vraiment que je les croie ? Ils disent qu'elles n'ont ni douceur, ni sensibilité, ne sont pas sentimentales, n'aiment pas l'amour mais le sexe, et par dessus tout l'argent. Mes amis sont des menteurs. Comment peuvent-ils espérer me persuader que les femmes, ces merveilles de délicatesse et d'altruisme, ne soient pas sentimentales ? Ils racontent qu'elles choisissent les hommes plutôt que le contraire et leur proposent ouvertement ce que nous n'osons leur suggérer. Me prennent-ils pour un idiot ? Ils s'amusent, ils continuent, ils en remettent. Ils se passent le mot pour me confondre, s'arrangent pour me tenir tous le même discours. Ils disent qu'elles n'aiment pas les préliminaires et prennent l'initiative même au lit. Enfin on l'a compris, il y a, au Québec, une conspiration nationale pour me manipuler : aucun espoir que cela fonctionne. Car il me reste mon bon sens.

Comment pourrais-je croire, par exemple, que les Québécoises partent en République dominicaine pour acheter le plaisir ? Aucune femme ne fait ce genre de choses : elles ont besoin, pour se donner, qu'on se prête à la tendresse, au romantisme, aux soupers aux chandelles. Mais ils me disent qu'elles ne sont ni romantiques ni tendres, qu'elles ne font pas l'amour mais qu'elles baisent. Quels menteurs ! Ils ajoutent que les Québécoises sont des quitteuses avec un grand *Q*, et font leurs valises aussitôt qu'on ne les fait plus jouir, excusez la franchise de leur vocabulaire mais je vous avais prévenus sur mes amis. Enfin ils ne décrivent pas des Québécoises mais des monstres.

Or je veux bien accepter les ours mangeurs d'hommes, les lynx à Vancouver et les chacals des prairies qui attaquent les enfants : mais les Québécoises ainsi décrites, je ne peux pas le croire.

Alors d'où vient, me demandent-ils, le taux de suicide que nous connaissons ? Des ours mangeurs d'hommes, des lynx de Vancouver, des chacals des prairies ? Ou des femmes ? Mes amis ont des idées monstrueuses, je crois que je ne les choisis pas bien. Si un homme, poursuivent-ils, n'a plus aucun pouvoir ; s'il doit obéir aux femmes parce qu'il doit expier sa nature ; si on le jette aussitôt qu'il a servi ; si on lui prend ses enfants après avoir pris son argent, sa dignité et, pour ainsi dire, ses hormones : et si, quand il s'en plaint, on le traite de macho, de phallocrate, de dégénéré, on l'envoie voir une psychologue, que pense-t-il de lui-même ? Ce qu'elles pensent de lui, c'est-à-dire pas grand-chose.

Comme je ne les crois pas, ils me recommandent d'essayer. Mais c'est à ce moment que je prends peur. Car s'ils mentent, je n'aurai gagné qu'un jeu ; mais s'ils disaient vrai, j'aurais perdu la vie. Et j'aime tant la vie au Québec que j'ai fini par craindre les Québécoises. À cause de mes amis menteurs.

Leçon de survie

Leur patronne : Anne Jousselot. Elle se marie une première fois à 18 ans en 1677. Une dernière fois à 66 ans en 1725. À sa mort, à 83 ans, elle a enterré cinq époux.

Aide aux hommes en difficultés conjugales (*www.serviceaideconjoints.org, 514-384-6296*).

La pire de toutes : la pie grièche grise. Elle empale sa proie sur des épines et du fil barbelé pour la manger alors que « l'ouverture et la générosité du Canada excluent les pratiques culturelles barbares qui tolèrent la violence conjugale, les meurtres d'honneur, la mutilation sexuelle des femmes ou d'autres actes de violence fondée sur le sexe », selon la brochure *Découvrir le Canada : les Droits et Responsabilités liés à la citoyenneté.*

Un immigré du nom de Boniface F. Kiraranganaya (sans doute un Allemand) a proposé en novembre 2001 à l'Unesco que les Québécoises soient reconnues comme la huitième merveille du monde. L'Unesco a refusé. C'est honteux.

Beaucoup des Québécoises visées par cet article sont actuellement assises au **Buona Notte**, *3518 rue St-Laurent*, mais il est impossible de leur parler si l'on n'est pas producteur de musique ou de cinéma. (On peut se faire des cartes de visite de producteur sur ***www.vistaprint.ca***.)

> **52 %** des Montréalais sont des Montréalaises. Sur 1 852 935, ça fait 961 325. (En 1666, sur une population de 3 136 personnes, on comptait 716 célibataires masculins pour 45 filles à marier.)

> Aujourd'hui, elles nous enterreront tous, selon Statistique Québec. Car malgré leurs épouvantables conditions de vie dont nous sommes chacun personnellement responsables, sur 1 356 centenaires, **1 140** sont des femmes.

> Certaines Montréalaises sont des Montréalais.

> Pour dire draguer on dit **cruiser** qui se prononce « crouzer ».

> Les Québécoises estiment que les Québécois ne savent pas crouzer.

> Les Québécois estiment que les Québécoises deviennent agressives quand on les crouze.

> **82,7 %** (certains prétendent qu'il s'agirait plutôt de 87,8 %) des Québécoises attachent leur soutien-gorge à l'envers. Elles l'agrafent sur le ventre puis le tournent et le remontent sur leur poitrine.

> En août 2005, les Jeunes Libéraux ont proposé d'interdire le port du string à l'école. Énormément de gens se sont spontanément présentés comme **vérificateurs bénévoles**. Et après on va dire que les gens ne s'intéressent pas aux problèmes des autres.

> Collection de vêtements de construction pour les femmes « Pilote et Filles ». Certains affichent d'intéressants slogans (« J'veux donc tu peux », « Je fais tout faire moi-même », « menuisière cherche belle charpente ».) : ***http://piloteetfilles.com***.

> Les Québécoises et les Québécois ont des problèmes car elles trouvent qu'ils ne pensent qu'au **sexe**. Et ils pensent exactement la même chose d'elles.

> Un truc simple qui marche, proposé par **Diane Tell :** être capitaine d'un bateau vert et blanc, choisir des parfums qui rendent fou, faire l'amour sur la plage puis faire construire une villa juste à côté de Milan dans une ville qu'on appelle Bergame.

> **Richard Burton** et **Elizabeth Taylor** se sont mariés à Montréal (au Ritz) en 1964.

> Entre 1970 et 1998, le nombre des mariages a baissé de **50 %** au Québec (merci Richard et Elizabeth).

> « Je ne suis ni né ni mort grâce à… Capote Hector », vous vous souvenez ? **La Capoterie** en vend à la pelle *(2061 rue St-Denis, 514-845-0027).*

> Selon une étude menée par Durex, les Canadiens **font l'amour en moyenne 99 fois** par an mais les Québécois le font 106 fois (les Français 110).

> Beaucoup de Montréalaises sont **bisexuelles**.

De nombreuses Québécoises ne ferment pas la porte des toilettes quand elles s'y trouvent. Il est donc utile d'avertir de sa présence par un discret sifflotement de La Marseillaise.

> L'âge minimal pour consentir à des relations sexuelles a été récemment augmenté. Il est passé de 14 à 16 ans.

> Vous trouvez ça juste, vous, qu'on dise un professeur quand il est une femme ? Les Québécoises non plus. On dit une professeure, même si elle enseigne le français. D'ailleurs on dit aussi une avion, une hôtel, une job, une business. C'est complètement normal étant donné qu'une femme peut très bien, par exemple, avoir pour job de piloter un Boeing, ce qui la fait forcément dormir seule à l'hôtel, bande de nases.

> Selon le magazine *Châtelaine*, une Québécoise de 47 ans a eu en moyenne 8,56 partenaires sexuels dans sa vie (le 0,56 n'a pas vraiment compté).

Les filles du Roy, contrairement à la légende, n'étaient pas des prostituées mais des filles étroitement surveillées quant à leur moralité. Envoyées en Nouvelle-France par Louis XIV pour peupler la colonie, on les choisissait de préférence orphelines, costaudes, âpres au travail et résistantes au froid. Elles étaient encadrées par des religieuses et provenaient principalement d'Île-de-France. La légende date de… 1640. « On nous a dit, lit-on dans la *Relation des Jésuites* de 1641, qu'il courait un bruit dans Paris, qu'on avait mené en Canada un vaisseau tout chargé de filles dont la vertu n'avait l'approbation d'aucun docteur : c'est un faux bruit, j'ai vu tous les vaisseaux, pas un n'était chargé de cette marchandise. »

On estime qu'une Française avec un Québécois a plus de chances qu'un Français avec une Québécoise. Car la Française sera ravie des droits que lui reconnaît le Québécois tandis que le Français sera scandalisé de ceux que la Québécoise ne lui reconnaît pas. Une petite phrase dense à imprimer sur son t-shirt pour nouer le contact avec les indigènes et les indigènesses.

Sex in this city

> Le **281** est un club de danseurs nus pour femmes habillées (les clients n'y sont d'ailleurs admis que s'ils sont accompagnés de clientes). Une danse à la table coûte 9 $, auxquels il faut ajouter les frais d'admission (de 5 $ à 10 $) et la boisson. Je ne vous donne pas le numéro de téléphone car ils n'acceptent pas les réservations *(94 rue Ste-Catherine E.).* Pour celles qui veulent voir avant : ***www.281.ca.***

> **Chez Parée** a acquis une réputation internationale dans le monde des danseuses érotiques, car on m'en a parlé à Paris. Contrairement à ce que vous pensez, je n'y ai jamais été, donc vous me raconterez *(1258 rue Stanley, 514-866-0495).*

> **Les Princesses d'Hochelaga** sont en fait des serveuses aux seins nus qui vous servent de la poutine, des hamburgers ou des déjeuners. Un litige est en cours pour savoir si cet établissement, qui ne possède pas de permis de spectacle avec nudité, jouit d'un droit acquis puisqu'il emploie depuis les années 1980 des serveuses dénudées *(4970 rue Hochelaga, 514-255-0003).*

Douceur
de **vivre** à
Montréal

Fraîchement débarqué...

À Réjane

À onze heures du soir, je fais mes courses dans un grand
magasin ; à six heures du matin, je prends mon déjeuner au
restaurant, et parfois je le prends à midi. En été, je mange
à la terrasse et en hiver la grande fenêtre me sert d'écran
de cinéma pour regarder, en mangeant mes deux œufs
saucisses, les passants sous la neige. Aux tables voisines,
des étudiants américains, un professeur de psychologie, un
couple qui vit à six cents kilomètres. Je lis un journal qu'on
m'a donné, je fume une cigarette qui ne dérange personne,
je bois un café qu'on me ressert sans que je l'aie demandé ;
je vis comme je l'entends, je suis à Montréal.

La douceur de vivre, je ne l'ai connue qu'ici. Elle n'existe
plus à Paris, ni à Bruxelles, ni à Londres ; on ne la cherche
plus à New York ni à Los Angeles. Elle est ici, celle dont
les poètes français du XVIIe siècle parlaient si bien, elle est
dans ce joyau de lumière enfoui dans la forêt : elle est à
Montréal. Ici, l'on peut jouir de la seule faculté d'exister, qui
est le bonheur, disait Paul Valéry. Oui, sans doute, elle est
ailleurs aussi : en Touraine, en Toscane, en Grèce. Mais là, je

m'ennuie car je n'ai pas la ville, ou une ville trop petite, trop «bovarienne» où je ne peux m'étirer. Ici je m'étire et personne ne me regarde. On me laisse tranquille, on me laisse savourer mon existence.

Bien sûr, je ne vis pas dans les banlieues Nord, je suis sur le Plateau. Bien sûr, mes réflexions sont un peu bourgeoises : mais même à Neuilly, même à Beverly Hills, je ne ressentais pas ce que je ressens. Dans ces endroits du monde, il y a le calme, mais c'est un calme acheté, payé, policier. Les voitures de sécurité tournent à tout instant, comme avant une émeute. À Los Angeles, dans n'importe quel quartier, il est impossible de passer une soirée calme au bord d'une piscine sans le vacarme des hélicoptères de la police. On fait des barbecues presque sous les projecteurs. À Paris, on peut goûter le silence, encore, mais les convives sont si stressés qu'ils tendent les molécules d'oxygène. Ici, je ne paie plus, je n'achète plus le calme. Je le mange. Il vient des érables et des bouleaux, il est fabriqué dans le Nord et ses effluves inondent mon Canada bien-aimé. Et si je rencontrais les «motards», comme on dit ici, c'est tout l'exposé que je leur ferais : faites moins de bruit avec vos motos car vous faites mal aux arbres. À la douceur de vivre à Montréal.

Leçon de survie

Montréal est la capitale du **massage** et l'on trouve toutes les techniques imaginables.

> **Suédoises** : Spadiva *(514-985-9859)*.

> **Hawaïennes** : Zensations *(514-495-1691)*.

> **Shiatsu** : Université de Montréal *(514-345-1741)*.

> Avec **shirofhadara** (filet d'huile chaude répandue sur le front) : Estelle Miousse *(514-527-3230)*.

On peut se faire masser :

> Par des **étudiants en massage** à l'école professionnelle de massage **À fleur de peau** *(514-728-1583)*.

> Sur **une chaise** : **Massage Action** *(514-766-3373)*.

> Avec de l'**huile de noix de coco** additionnée d'ylang-ylang, de gingembre et de clous de girofle : **Espace Jamu** *(514-927-5268)*.

> Dans de l'**eau chaude**: **Clinique À votre Santé** *(514-291-4192)*.

> À l'aide d'un **petit bâtonnet de buis** et par pression des paumes et des pouces: **Lanna Thai Massage** *(514-750-2113)*.

> Avec des **baluchons de riz cuit** dans une décoction de lait chaud: **Spa Zazen** *(514-287-1772)*.

> Les pieds, les mains et les **oreilles**: **Marine Augustin Normand** *(514-816-5044)*.

> Les pieds **au champagne**: **Salon Nuda** *(514-939-6336)*.

> Le ventre: **Studio Fragments libres** *(514-279-7243)*.

> Par **le son**: **Pascale Mukti Beaudry** *(450-742-7321)*.

> Et pour ceux à qui ça ne suffirait pas, ils trouveront tout tout tout ce qu'il faut pour le massage (y compris l'automassage) à **La Massagerie** *(5030 av. Papineau, 514-529-6153, www.lamassagerie.com)*.

ARRÊT STOP *Par un robot, fauteuil de massage, **D-Stress**, ouvert jusqu'à 22h sauf exception. Fan-tas-tique* **(514-525-3177)**.

N'est-il pas complètement nul d'interdire aux gens de marcher sur les pelouses, mêmes quand elles sont manucurées? Cette stupidité européenne n'a pas cours ici. Non seulement on peut marcher sur les pelouses des **parcs**, mais on peut aussi y dormir, pique-niquer, étudier, jouer de la gui-tare, faire l'amour en cachette, etc. Et ce n'est pas la place qui manque: il y a plus de 700 parcs et espaces verts un peu partout dans la ville. D'ailleurs le parc Jeanne-Mance a reçu la visite de Buffalo Bill. C'est quand même une preuve, non? L'ensemble des plus beaux parcs sur ***www.ville.montreal. qc.ca/grandsparcs***.

Les ***Tam-Tams*** du mont Royal se tiennent chaque dimanche d'avril à octobre, près du monument Sir George-Étienne Cartier. Des centaines de gens y font un concert improvisé. Depuis quelques années, on y trouve aussi des chevaliers du Moyen Âge qui se battent sauvagement à coups d'épée en mousse.

J'informe ceux qui auraient le nez bouché qu'il flotte sur Montréal une **odeur de marijuana**, particulièrement dans les parcs, d'abondantes cultures se trouvant sur le balcon juste en face de chez vous.

Ceci explique peut-être ce qu'on peut lire sur ***www.entendu.ca***. Allez voir, c'est drôle.

À Montréal en 2008, le **taux d'homicide** était de 1,28 pour 100 000 habitants. Il s'agit du plus faible parmi le top 20 des régions métropolitaines d'Amérique du Nord (5,2 à New York, et 11,3 à Detroit).

Montréal est d'ailleurs unanimement réputée pour la **gentillesse et la convivialité de ses habitants**. Veillons à ne pas importer ici notre stress (parisien), notre déprime (belge), notre agressivité européenne et toutes ces mauvaises habitudes qui pourrissaient notre vie. Dire merci à un chauffeur de bus, céder sa place à une femme enceinte dans le métro contribuent quotidiennement à notre qualité de vie à tous en procurant de petits moments de plaisir à chacun. Rendons à Montréal la douceur que nous avons d'y vivre !

La police est d'une courtoisie extraordinaire. Elle pourrait donner des leçons à nos divers gendarmes et gendarmettes européens. D'ailleurs, les administrations publiques étonnent par leur efficacité et leur politesse.

L'accès aux **personnes en fauteuil roulant** est prévu dans la majorité des bâtiments publics, dans les bus, dans de nombreux taxis et dans la plupart des grands magasins.

Il y a six communes de plus de 2 000 habitants qui s'appellent Montréal en France (mais ce n'est pas de là que vient le **nom** : Montréal vient de **mont Royal**, royal signifiant à l'époque, « beau, grandiose », exclamation que lança Jacques Cartier quand il découvrit le paysage. Jacques avait l'habitude de pousser des exclamations au-dessus des collines, car il s'exclama aussi *Monste Regus !* quand il aperçut, du mont Royal justement, les 11 collines de la plaine du Saint-Laurent. C'est devenu la Montérégie. Heureusement qu'il ne parlait pas flamand).

Il y a **457 000 arbres** à Montréal et **1 type** qui a passé son temps à les compter. La Ville organise en automne la collecte des feuilles mortes (des souvenirs et des regrets aussi) qu'elle recycle en compost distribué gratuitement par la suite. *Idem* avec les sapins de Noël. Nous devons aider Montréal à respecter la nature.

À Montréal, on peut **pêcher** en pleine ville des dorés, des truites, des achigans et même des saumons atlantiques échappés des grands lacs. Dans le Saint-Laurent, on pêche notamment sur les berges de l'île Notre-Dame et de l'île Sainte-Hélène, le parc de la Promenade Bellerive, et sur le quai de Roy et Danny *(angle de la 32ᵉ Avenue et du boul. St-Joseph)* à Lachine.

Montréal-Plage se situe au parc-nature du Cap-Saint-Jacques, à l'extrême ouest de l'île. Un écrin de verdure où perce le soleil [mais on doit payer pour entrer, des jeunes gardiennes sifflent si vous dépassez la bouée blanche et les sandwichs sont interdit(es)]. Étant donné que la qualité des eaux va de mieux en mieux, on pourrait créer des plages dans l'est et à Verdun mais il n'existe rien encore.

Connaître la qualité de l'eau du fleuve : *www.rsma.qc.ca.*

Des Français ont créé un **terrain de pétanque** au milieu du parc La Fontaine.

En hiver, on peut pratiquer le **ski de fond** au parc du Mont-Royal et en été le **ski nautique** et le **surf** sur le Saint-Laurent. Connaissez-vous beaucoup de villes où l'on peut à la fois pêcher, surfer, skier, se baigner, faire de la voile, descendre des rapides, attendre dans les embouteillages, jouer aux boules et manger une poutine ?

Vous ne comprendrez rien au plaisir du petit déjeuner (le déjeuner) à Montréal si vous ne savez pas que :

> ⟩ **les œufs tournés** sont des œufs sur le plat à l'envers ;

> ⟩ **les *toasts*** sont du genre féminin et arrivent à la table déjà beurrées ;

> **les endroits les moins bran-
chés sont les meilleurs:**

Le Roi d'Ontario
*(3991 rue Ontario E.,
514-525-9898)*

Deli Joe
Déjeuners tous les jours jusqu'à 15h
*(7143 rue St-Dominique,
514-342-4563).*

Fameux Deli
*(4500 rue St-Denis,
514-845-8732)*

Le Club-Sandwich en sert tout
le temps *(1578 rue Ste-Catherine
E., 514-523-4679).*

La saison des couleurs

La saison des couleurs, l'automne, est un phénomène extra-ordinaire à admirer dans la nature montréalaise. Vers la fin du mois de septembre et jusqu'en novembre, les feuilles des arbres prennent des colorations allant du jaune vif au rouge sang, parfois sur le même arbre. Cela donne une impression merveilleuse en forêt. Mais d'où cela provient-il, oncle Paul ? Du fait que la chlorophylle (qui donne la couleur verte aux feuilles) n'est plus synthétisée car l'arbre retient la sève en prévision de l'hiver. D'autres éléments viennent alors pigmenter la feuille et lui donner ces couleurs magnifiques. Dans le cas de l'érable, ce phénomène est doublé par l'accumulation de sucres qui provoque la synthèse des composés colorés.

Leur **pays,**
c'est **l'hiver**

Fraîchement débarqué...

À Rachel

« Mais qu'est-ce que tu vas faire en hiver ? » est la question posée à tout Européen qui émigre au Canada par des gens qui n'y ont jamais été. Certains prétendent qu'entre décembre et février, on crache des glaçons, la grande majorité assure qu'à Montréal en hiver on ne voit personne dans la rue car toute la vie devient subitement souterraine, le monde passant du métro à sa cave sans jamais sentir l'air pur : en cette matière comme en tant d'autres, la plupart des gens aiment à parler de ce qu'ils ne connaissent pas et prévenir des dangers qu'ils n'ont jamais rencontrés.

« Comment trouves-tu l'hiver ? » est, en revanche, la question que posent tous les Canadiens aux Européens qui l'ont passé ici. Il y a dans cette interrogation une sorte de fierté touchante. On croirait entendre un Belge demander : « Comment trouvez-vous nos frites ? » à un Polynésien en visite à Bruxelles. Le froid est au Canada ce que notre plat national est à Bruxelles : il se déguste et il s'exporte.

Quel temps fait-il en réalité l'hiver à Montréal ? Je trouve qu'il y fait plus chaud en décembre qu'à Paris en février et la raison en est bien simple. À Paris, personne n'a pensé lutter contre le froid ; le froid n'est pas un ennemi, c'est un inconvénient. Comme il n'est pas vital de l'éviter, on trouve normal de le subir : mais à Montréal, c'est un danger mortel. On peut périr de froid comme étouffer sous la neige. Le « verglas » peut paralyser et faire mourir de faim. Dans cette Europe que peut-il faire, le froid ? Faire froid...

À Paris, à Bruxelles, à Londres, enfin en Europe de l'Ouest, le moindre gel prend ainsi des allures de phénomène : cinq centimètres de neige font la première page des journaux car personne, sauf les pompiers, ne peut l'enlever ; mais personne, sauf exception, n'en meurt ; alors on laisse faire.

Un jour qu'en France, ayant grelotté toute la nuit dans ma chambre d'hôtel, je m'en plaignis, l'hôtelier me répondit : «Évidemment, c'est l'hiver !» Tout le monde trouve absolument normal de frissonner à partir de novembre pour attraper la grippe en janvier. À la même période, à Montréal, le métro est si chaud qu'on dirait une gigantesque cloche posée sur la ville.

Oui, mais dehors ? Dehors, c'est parfois terrible, je l'avoue. L'hiver dernier, le froid était si fort qu'il me faisait rire, comme quelqu'un qui exagère. Mais chez moi, j'avais trop chaud, j'ouvrais les fenêtres avant de m'endormir et, couché sous ma douillette, heureux quoique célibataire, je me disais : Montréal est une ville où il fait froid et où je n'ai pas froid.

Leçon de survie

> ### Prévisions météo *(514-283-3010* et *www.meteomedia.com)*

> ### État des routes *(511)*

> Le budget annuel de déneigement à Montréal dépasse les **130 millions de dollars** répartis entre les arrondissements. Il s'agit d'un budget prévu pour couvrir 6 «tempêtes» en déblayant 4 100 km de rues et 6 550 km de trottoirs, soit 10 650 km : la distance **Montréal–Beijing**.

> Si vous croyez qu'il fait froid à Montréal parce que vous êtes au nord, vous avez tout faux. Montréal est à la même latitude que Bordeaux. Mais Montréal, à la différence de Bordeaux, jouit d'un climat continental et est dominé par les vents d'ouest. C'est pourquoi les températures sont extrêmes.

> Les records : **–37 °C** (en février) **+40 °C** (en août). Et en plus ils en rajoutent car la météo croit nécessaire de préciser qu'avec le «coefficient de refroidissement éolien» (le facteur vent) qui calcule la température réellement ressentie, il fait en vérité beaucoup plus froid. En janvier 1997, on ressentait ainsi **–50 °C.** En été, c'est le contraire, il fait beaucoup plus chaud que le thermomètre à cause du «facteur humidex».

> Plus de **3 m de neige** sont tombés à Montréal en 2008. La moyenne est de 2,50 m (en général pas d'un coup).

> Un million de Québécois qui adorent l'hiver partent chaque année dans le Sud pour fêter ça (Floride, Mexique, République dominicaine et Cuba).

> Désolé Joe, on t'aimera encore lorsque l'amour sera mort, mais **l'été indien** s'appelle en réalité *l'été des Indiens*. Météorologiquement, ce réchauffement est dû à des courants chauds venus du golfe du Mexique après gel préalable. Étymologiquement, on l'appelle ainsi parce qu'il donnait aux Indiens l'occasion de faire leur dernière chasse avant l'hiver. Psychologiquement, ça fait du bien.

Pendant l'hiver canadien, il faut veiller particulièrement aux extrémités du corps.

> Pour **les pieds**, chausser des souliers prévus pour le froid et la gadoue de Montréal. Acheter des semelles thermiques (chez Dollarama évidemment) et un produit pour nettoyer les traces de sel, de calcium et d'eau (la Ville déverse une moyenne de 120 000 tonnes de sel et 132 tonnes de chlorure de calcium par hiver). À défaut, un peu de vinaigre fait l'affaire mais il faut nettoyer tout de suite.

> Pour **la tête**, prévoir un bonnet (on dit une « tuque »), sans aucun complexe car 30 % de la déperdition calorifique se fait par la tête et 90 % de la population en porte. Idéalement, choisir un manteau muni d'un capuchon car on oublie facilement son bonnet, on est distrait, on se croit encore en Europe, peut-être ? Veiller particulièrement aux oreilles. Quand elles commencent à geler, entrer immédiatement

dans une boulangerie (ou n'importe quel autre endroit chauffé).

> Parce que **les lèvres** ne s'humidifient pas naturellement sauf si on dit je t'aime, il faut les enduire de baume.

> Protéger **les yeux** de la luminosité de la neige et porter des lunettes anti-UV.

> **Les gants** sont indispensables dès qu'on descend sous **-15 °C**.

Il est pratiquement impossible de passer l'hiver sans tomber au moins une fois, à cause du verglas, sur de la glace. C'est pourquoi je suggère de porter des **vêtements matelassés** et de ne pas rouler à vélo. Il est déconseillé de tomber au Québec quand on n'est pas tout à fait en ordre de papiers, c'est pourquoi il faut s'abstenir aussi de sports d'hiver.

Le secret des secrets consiste à s'habiller en couches à défaut de pouvoir se payer des manteaux spécialisés. Il faut au moins trois couches, pas trop serrées, comprenant : une camisole, une chemise et un pull. Pour le dessous, ne pas hésiter à porter des **caleçons longs** (les Québécoises sont habituées).

On trouve des manteaux de l'armée canadienne dans les surplus. Ils sont très chauds et portent la feuille d'érable en écusson, ce qui fait toujours bien en Europe. Sur le Plateau, il y a un surplus boulevard Saint-Laurent : **Surplus International** *(1431 boul. St-Laurent, 514-499-9920).* Marchander.

> On peut faire installer un **démarreur à distance**, histoire de réchauffer la voiture avant d'y embarquer. Car rien n'est plus

froid qu'une voiture froide. Mais, comme dit précédemment, un règlement interdit de laisser tourner le moteur pendant plus de 3 minutes par période de 60 minutes.

*Question: Comment enterrait-on les morts par **-20 °C** en pleine campagne, avec une terre gelée et aucun moyen de transport? Réponse: on les entreposait sur le toit en attendant le dégel.*

> Il est d'usage d'enlever ses souliers quand on entre chez quelqu'un et d'offrir des pantoufles quand on reçoit. Ceux qui ne veulent pas se déchausser peuvent acheter des caoutchoucs («des claques») qui protègent les souliers. On les enlève quand on entre. On en trouve un peu partout. C'est complètement démodé et ça ne garde pas les pieds au chaud. Pour les autres, le plus malin est d'acheter des souliers à boucles.

> Quand un Québécois dit qu'il a une grippe, cela signifie qu'il a un rhume, et s'il dit qu'il est atteint de pneumonie, il souffre sans doute d'une bronchite. L'aspirine est moins utilisée au Québec qu'en Europe. Demander du Tylenol.

> Les Québécois commencent à trouver l'hiver trop long vers le mois d'août à Chibougamau.

> Le **Caribou** est une de ces boissons légères authentiquement québécoises que l'on buvait autrefois en racontant la blague des castors (voir page 171) et qui peut servir d'exercice de conversion des mesures liquides si vous n'avez rien à faire ce soir. Recette pour empêcher 10 personnes de conduire:

  3 onces de Vodka
  3 onces de Brandy
  12 ½ onces de Sherry canadien
  12 ½ onces de Porto canadien

> **Opération Nez Rouge** offre un service de chauffeur privé gratuit et bénévole pendant la période des fêtes à tout automobiliste qui a consommé de l'alcool. Le service est gratuit *(514-256-2510)*. Si vous n'êtes pas sûr d'être au temps des fêtes, adressez-vous à **Point Zéro**, qui offre un service semblable (mais payant) tout au long de l'année *(514-953-0008)*.

Kit de survie recommandé pour la maison

À la suite du «verglas» qui a paralysé complètement Montréal en 1998 pendant plusieurs semaines, le gouvernement recommande d'avoir toujours chez soi:

> *une lampe de poche munie de piles;*
> *de l'eau minérale;*
> *une couverture thermique;*
> *un réchaud à gaz;*
> *des préservatifs...*

Montréal
ville gay

Fraîchement débarqué...

À Rodrigue

Que j'aime voir rue Saint-Denis les couples gais se prome-
nant main dans la main en plein été! Qu'elle est belle à voir
la liberté de s'aimer! Le degré de démocratie d'un pays ne
se juge pas à ses lois mais à ceci: une main libre de tenir
l'autre, le mouvement d'un bras sur une épaule, le rire sur un
banc public; et l'on peut me donner tout l'or du monde: si je
ne puis vivre dans un pays où tout le monde peut s'aimer, je
ne veux pas même y mourir.

Il faut en outre, d'un point de vue pratique, compter tous
les avantages qu'apportent les gais à une ville. Quand les
hommes se permettent d'être sensibles, ils vibrent si fort
que les villes en tremblent. L'esthétique, la beauté, l'ima-
gination, la fantaisie ont soufflé sur Montréal; j'en vois les
effets dans les vitrines, les bars, les vêtements. Montréal
s'embellit de mois en mois et je tiens que c'est grâce aux
gais. Quand je reviens d'Europe, je me réjouis, dans l'avion,
des changements que je verrai sur Saint-Laurent, des nouvelles boutiques, des nouveaux restaurants, des nouvelles
idées dans le Village. J'ai hâte d'atterrir, je demande au taxi
d'aller plus vite, j'ouvre les fenêtres, j'écoute la radio, j'attends la fantaisie. Quelque chose est si heureux en moi de
retrouver Montréal; mon plexus se dilate et mes yeux sont
grand ouverts. Et chaque fois que je me réjouis si fort, je me
dis: n'est-ce pas cela, la gaieté?

Leçon de survie

Montréal est, après San Francisco, la deuxième ville «gai friendly» d'Amérique du Nord. Un doute ? Lisez ça :

> **Association des ambulanciers, pompiers, agents de sécurité et de parasécurité publique gais, lesbiennes et bisexuel(s) du Québec, AGAPAS** *(514-528-8424)*

> **Association des policiers et pompiers gais du Québec** *(info@appgq.org)*

> **Association interne des gais et lesbiennes de la STM** *(514-528-8424)*

> **Association nationale des journalistes gais et lesbiennes** *(514-848-0777)*

> **Chambre de commerce gaie du Québec** *(514-522-1885)*

> **Centre communautaire des gais et lesbiennes de Montréal** *(514-528-8424)*

> **Table de Concertation des lesbiennes et des gais du Québec** *(514-528-8424)*

> **Centre de Services juridiques des Lesbiennes et Gais** *(514-528-8424)*

> **Alcooliques Anonymes** groupe pour gais et lesbiennes (amis et familles des alcooliques) *(514-866-9803)*

> **Émotifs gai(e)s anonymes** *(514-990-5886)*

> **Groupe d'Entraide multiculturel des Gais et Lesbiennes de Montréal** *(514-528-8424)*

> **Archives Gaies du Québec** *(514-287-9987)*

> **Groupe Interdisciplinaire de Recherche et d'Études : Homosexualité et Société** *(514-987-3000)*

> **Association des Motocyclistes Gais du Québec** *(amgq_mtl@yahoo.com)*

> **Aérobie Gayrobic** *(514-527-2427)*

> **Association des mères lesbiennes de Montréal** *(514-846-1543)*

> **Association des pères gais de Montréal** *(514-528-8424)*

> **Parents d'enfants gais** *(514-282-1087)*

> **Lesbian, Bisexual, Gay & Transgender Students of McGill** *(514-398-6822)*

> **Lesbiennes, bisexuelles et transsexuelles du Moyen Orient et du Maghreb** *(www.zaafaran.org)*

> **Groupe de discussion pour bisexuelles, trisexuelles et sexualité alternative** (femmes seulement) : les 2e et 4e jeudis du mois, Restaurant Kilo *(1495 Ste-Catherine E., bisexuelles@gmail.com).*

> **Association gaie anonyme pour prêtres exclusivement, AGAPE** *(514-894-2406)*

> **Gai Écoute** *(514-866-0103)*

> **Fugues**
> magazine gai, édite le *Guide Arc en Ciel*, bisannuel gratuit *(514-848-1854)*.

> Fraterniser avec des danseurs nus qui jouent occasionnellement au **billard** entre leurs danses : **Stock Bar** *(514-842-1336)*.

> **Club de course et de marche** *pour gais et lesbiennes (514-212-3113)*

> **Messe pour mariage gay** accrédité par le Registre de l'État civil : Pasteur Réal Murray *(514-493-6596)*.

> **Épilation** des fesses et des parties génitales pour 150 $ *(1335 rue Ste-Catherine E., 514-369-2020)*.

> **Lutte érotique gaie** *(514-237-7420)*

> Caresses intimes et **plaisir mutuel entre hommes en pantalons de velours côtelé** *(corduroyman@live.com)*

> Manger une **omelette préparée par un jeune boxeur** nu chantant *Fais-moi la tendresse* avec un accent vietnamien : pour l'année prochaine.

> **Gay Grec Gai** *(514-528-8424)*

> **Le Festival International de danse (gaie) country** a eu lieu à Montréal en 2003.

> La « **célébration de la fierté gaie et lesbienne** » a lieu tous les ans à la fin juillet. Autour du 5 août, on peut voir le « Défilé de la fierté » qui est une sorte de carnaval. Il faut aimer le bruit, les fanfares et la joie obligatoire.

> Le **Sky** est un bar branché (sur quoi exactement ?) en plein milieu du Village. Shows travestis, etc. *(1474 rue Ste-Catherine E., 514-529-6969)*.

> **Le Club Unity** a reçu le prix **Club gay / lesbien de l'année** en 2006 et 2007 *(1171 rue Ste-Catherine E., 514-523-2777)*.

> La **station de métro Beaudry** est la seule station au monde à être décorée aux couleurs du drapeau gai.

> Deux cents millions de dollars sont dépensés par année par les touristes gais à Montréal.

Ce qu'ils pensent des **autres**

Fraîchement débarqué...

À Marie-Hélène

Les Québécois ne peuvent pas aimer les Anglais, c'est entendu. Comme les irréductibles Gaulois à l'égard des Romains, ils ne peuvent davantage, pour les mêmes raisons historix, aimer les Américains – d'ailleurs qui les aime ? Mais ils n'aiment pas plus les Canadiens d'Ottawa à Vancouver, qui menacent leur existence. N'y a-t-il pas là quelque chose d'aisément compréhensible ?

Tout le monde sait qu'ils n'aiment pas trop non plus les Français car ils les ont vendus : comment le leur reprocherait-on ? Je veux dire comment pourrait-on reprocher aux Québécois de ne pas aimer deux cents millions de personnes ?

D'ailleurs la terre est vaste. Éliminons de l'Europe les Français et les Anglais, il reste tous les autres. Oui, mais les Québécois ne parlent ni l'italien, ni l'allemand, ni le flamand, ni le grec : comment pourrait-on les accuser de ne pas aimer des gens dont ils ne comprennent pas la langue ? N'est-ce pas logique, puisqu'ils n'aiment pas trop non plus, me dit-on à Outremont, ceux dont ils ne comprennent pas la religion, hassidique en l'occurrence. Il est impossible d'aimer ceux qu'on ignore : bref, quittons Outremont mais quittons aussi l'Europe où les langues sont étrangères, et oublions ainsi trois cents millions de personnes. Voyons l'Afrique. Les Québécois aiment-ils les Africains ? Veut-on rire ? Laissons-les en Afrique : l'addition est maintenant montée à six cents millions. Reste l'Asie. La vaste Chine, le Vietnam, le Japon, la Thaïlande : qui peut se permettre de payer ces voyages ? Et qui a envie de passer des vacances à Pékin ? Les Chinois sont tortionnaires et ont volé la flamme olympique au Canada : il faudrait être bouddhiste pour dépasser le goût de la revanche. Non, vraiment, plus j'y pense, plus je trouve que les Québécois ont d'excellentes raisons de détester quatre milliards d'individus, à commencer par le «Paki du Dep» chez qui ils achètent leur lait tous les matins.

Leçon de survie

Le Quartier chinois est situé à l'angle du boulevard Saint-Laurent et de la rue De La Gauchetière. L'immigration chinoise a d'abord été soumise à une «taxe d'entrée» de 500 dollars en 1905, puis interdite au Canada de 1923 à 1947. En 1907, le Canada signe une entente avec le Japon pour en limiter aussi l'immigration et interdit également l'immigration en provenance de l'Inde.

La Petite Italie est située au-dessus du Plateau entre les rues Saint-Zotique et Jean-Talon. Les Italiens forment la plus importante communauté étrangère de Montréal. Débarquant en masse au début du XXᵉ siècle à Montréal, essentiellement en provenance de la Sicile et du Sud, ils travaillent surtout au réseau ferroviaire. Pour des raisons politiques (ils ne parlaient pas français), les Italiens n'ont pas été admis dans les écoles francophones, de sorte que la plupart ont été éduqués… en anglais !

Les Portugais sont surtout implantés au Portugal mais également entre l'avenue du Mont-Royal et l'avenue des Pins sur Saint-Laurent. Les premiers Portugais arrivent au Canada avant les Canadiens (1452). Ils reviennent en grand nombre à partir de 1953, en même temps que **les Espagnols**, surtout des Açores, sur-

peuplées. Les Portugais ont beaucoup rénové les maisons des quartiers qu'ils habitent.

La première loi sur l'immigration du Canada classait la Belgique parmi les pays préférés. **Les Belges** arrivent à la fin du XIXᵉ siècle et jouent un rôle majeur dans la lutte ouvrière au Canada car ils proviennent majoritairement de mouvements syndicaux wallons. Les Flamands se dirigent davantage dans la culture laitière et maraîchère. L'immigration la plus importante a lieu entre 1945 et 1975.

Les Juifs étaient au départ interdits de résidence en Nouvelle-France où l'on n'accepte que des catholiques. Dès l'abandon de la colonie par la France, ils intègrent Montréal et y créent en 1769 la première synagogue du Canada. Les violences, dont ils sont l'objet dans l'Empire russe, poussent les Juifs vers l'étranger dès la fin du XIXᵉ siècle. Le Canada leur ferme ses frontières à partir des années 1930 jusqu'après la guerre. On compte à peu près cent mille Juifs aujourd'hui à Montréal. Le premier quartier juif se situait entre la rue Sherbrooke et l'avenue du Mont-Royal (il reste d'ailleurs les commerces du début du XXᵉ siècle). Ils se déplacent ensuite vers le Mile End–Outremont où se trouve la communauté hassidim, puis enfin vers Côte-des-Neiges et Côte-Saint-Luc.

C'est grâce aux **Allemands** que les Inuits ont une langue écrite. Au XVIIIᵉ siècle, une communauté morave est en effet envoyée en mission dans le nord du Labrador pour y enseigner. Elle crée le premier dictionnaire de cette langue. Les «Germano-canadiens» ne viennent pas forcément d'Allemagne mais aussi d'Europe de l'Est et d'Amérique du Sud. Les Allemands arrivent à Montréal vers la fin du XIXᵉ siècle.

Les Suisses arrivent en 1604 en tant que mercenaires du roi de France. Ce pays qui a inventé la Croix Rouge et la neutralité est en effet réputé pour ses soldats jusqu'au XIXᵉ siècle. Ils sont ensuite employés comme guides de montagne dans les Rocheuses. Aujourd'hui, certains laboratoires de recherche pharmaceutique suisses sont installés à Montréal.

Haïti est le pays où les Québécois envoient le plus de missionnaires, après le Japon. Entre 1974 et 1989, **les Haïtiens** constituent le plus important groupe d'émigrants au Canada et 90 % d'entre eux sont regroupés dans le grand Montréal. Ils sont les plus nombreux à Côte-des-Neiges, Saint-Michel et Rivière-des-Prairies.

Les Anglophones («les Anglais») de Montréal se prennent pour une espèce menacée. D'ailleurs ils n'ont qu'un quotidien sept radios, deux universités et deux stations de TV. Beaucoup se plaignent qu'on les traite injustement de colonisateurs alors que, n'étant pas nés à l'époque, ils n'ont même pas pu en profiter. Ils sont nombreux à vivre à Westmount (55 % de la population y est anglophone) l'un des quartiers les plus chics de Montréal car à la différence des francophones, plusieurs sont riches depuis de nombreuses générations.

Autrefois, les Acadiens n'utilisaient l'anglais que pour parler aux animaux et pour jurer.

La plus grande banque de crédit d'Amérique du Nord a été fondée par **des Polonais** (Caisse Saint-Stanislas). Le premier d'entre eux est arrivé au Canada en 1752 et le dernier sans doute hier. Ils sont près d'un million au Canada (surtout en Ontario). Le quartier Prince-Arthur et Saint-Laurent était autrefois appelé la Petite Pologne.

Le Mexique est fièrement représenté par le huard (le canard sur les billets de 20 $ et les pièces de 1 $) d'où il revient tous les ans à 120 km/h.

Le Petit Maghreb se situe rue Jean-Talon E., entre les boulevards Saint-Michel et Pie-IX. Doté de cette appellation officielle depuis 2009, ce quartier abrite une centaine de commerces tunisiens, marocains et algériens.

Il n'y a pas officiellement de quartier **français** mais il y a un bar Ricard, **Le Massilia** *(4543 av. du Parc, 514-678-1862)* et l'on peut dire que le Plateau devient peu à peu un village gaulois.

L'Autre Montréal propose des visites guidées sur le thème du «Montréal ethnique» car nous sommes une ethnie *(514-521-7802)*. Pour préparer la visite, lire *Le tour du monde à Montréal* (Guides de voyage Ulysse)

Associations d'aide aux immigrants: voir page 114.

Télé, radio et vidéo

Fraîchement débarqué...

À Michaël

Jeune enseignante à l'école secondaire Sainte-Jeanne-d'Arc, Virginie vit des hauts et des bas dans sa classe d'élèves en difficulté, mais aussi dans l'école en général et dans sa vie privée. Une vie normale, en somme. « Trop normale », dirait Pierre Bellemare. Car la particularité de cette jeune femme vient de ce que ses ennuis durent depuis 1 500 épisodes et 48 400 pages de texte. Il est impossible, en fait, qu'elle jouisse d'une vie sans ennui, ses problèmes n'arrêtent jamais. En 2000, on fêtait déjà le 500e épisode de ce « téléroman » suivi en moyenne par 700 000 personnes depuis 1996.

Bien sûr, elle n'a pas le monopole des problèmes. Il y a Louise qui apprend à « exorciser les démons d'une enfance dramatique », Émilie qui ne craint plus de « donner la mesure de son talent malgré ses problèmes familiaux », sans oublier Virginie elle-même qui « apprend à composer avec la maternité ». On a compris, « Virginie » c'est « Martine travaille à l'école », « Martine turbine », une leçon de choses et une bible des sociologues du Québec, qui croient y voir le reflet de leur société car les sociologues voient des reflets partout.

Heureusement, pourtant, la société québécoise ne ressemble pas à ce que sa télévision généraliste nous en montre. Car on croirait à la voir que la «diversité culturelle» n'est qu'un discours théorique, mis à part le-Français-de-service-qui-enseigne-le-cassoulet-de-sa mèreu, qu'il n'y existe que quelques Haïtiens, aucun autochtone, très peu d'anglophones et aucun asiatique. À vrai dire, si l'on ne pouvait connaître le Québec que par sa télévision, on en tirerait la conclusion certaine qu'il n'habite dans cette province qu'une petite dizaine de personnes qui se voient en permanence, se congratulent, se déclarent mutuellement ben ben fins, s'amusent d'un rien, sont d'accord sur tout et ne voient de sujet de débat nulle part, sauf dans le sport, à propos duquel ils s'entredéchirent soudainement.

À côté de ce monde gentil pour l'éternité (la diffusion de *Virginie* est en effet prévue jusqu'à la fin du monde, c'est-à-dire en 2012), le Québec s'est bâti une réputation méritée dans des séries plus *hard*, plus *trash*, plus *heavy* comme dit l'Office de la langue française : *Minuit le Soir*, l'histoire de trois videurs de bars paumés, a été saluée par *Le Monde* comme «un regard d'une exceptionnelle justesse sur le dur métier de vivre». *Mirador*, dont le premier épisode raconte l'histoire d'un jeune chanteur accusé d'avoir violé l'une de ses admiratrices après l'avoir droguée, a fait l'objet des plus vifs éloges de la part de la télévision suisse. La Pologne diffuse, sous le titre *Grzeszni i Bogaci*, l'hilarant *Le Cœur a ses raisons* et les Turcs regardent *1 Kadin,1 Erkek* (Un gars, une fille) : en fait, la diversité culturelle télévisée consiste peut-être en ce que toutes les ethnies ont regardé, regardent ou regarderont, les séries québécoises.

Leçon de survie

La télévision

Sans câble, on a droit à **Canal V**, **Télé-Québec**, **Radio-Canada**, **TVA**, **Radio-Canada anglophone (CBC)**, **CTV et Global TV**. C'est gratuit, il n'y a pas de redevance. Mais la mort de la télévision hertzienne est déjà annoncée.

Les chaînes commerciales s'interrompant toutes les sept minutes pour diffuser trois minutes de publicité, combien de temps faut-il pour regarder un film d'une heure et demie ?

Avec le câble de base (selon l'opérateur), les principaux postes auxquels vous aurez droit sont :	
Canal Savoir	chaîne didactique québécoise.
Canal Vie	santé, mode de vie, problèmes sociaux.
Historia	films et documentaires.
LCN	infos continues de TVA.
MétéoMédia	le temps tout le temps. Mais vraiment tout le temps.
MusiquePlus	chaîne musicale destinée aux jeunes.
Musimax	chaîne musicale destinée aux adultes.
Radio-Canada (franco)	bizarrement, c'est une télévision (publique).
Radio-Canada (anglo)	*same thing.*
RDI	infos continues de Radio-Canada.
Télé-Québec	diffuse régulièrement des films français.
V	chaîne commerciale.
TVA	chaîne commerciale.
Évasion	chaîne focalisée sur les voyages.
ARTV	Arte local.
Série +	téléfilms de meurtres et pédophilies.
TV5	chaque jour, on peut comprendre devant le journal télévisé (belge, suisse, français) pourquoi on est parti.

Certains Européens ont trouvé le moyen d'avoir le câble sans le payer, au moyen de je-ne-sais-quelle boîte noire qui permet une connexion. On dit que des camions passent dans la rue pour les détecter au radar, comme les Nazis faisaient avec nos grands-parents pour déceler les postes de radios.

Pour éviter la chambre à gaz, **Bell ExpressVu** *(1-888-759-3474)* propose un bouquet numérique de 20 canaux pour environ 41 $ par mois (n'oubliez pas de multiplier par 12) si l'on n'achète pas le récepteur. L'installation est gratuite, mais il y a des «frais d'activation» de 100 $, c'est-à-dire que l'installation coûte 100 $. En achetant le récepteur (199 $), le tarif mensuel tombe à 31 $ (multipliez encore par 12, je vous en

supplie) et il n'y a pas de frais d'activation. Et si vous utilisez déjà un autre service de Bell (par exemple le téléphone), il y a d'autres réductions. On peut obtenir jusqu'à 400 chaînes différentes : en comptant 30 secondes par poste, il faut donc 200 minutes pour ne rien faire. Voir aussi les offres de **Videotron** *(1-888-433-6876)* ou **Rogers** *(1-888 701-2980)*.

Des films sans pub sur Télé-Québec et des chaînes payantes (par câble et ou satellite), notamment :

> *Cinépop* : classiques du cinéma des années 1950 à nos jours ;

> *Super Écran* : films récents ;

> *Canal Indigo* : télévision à la carte.

Pour tout savoir des programmes de télévision : ***http://horairetele.ca-noe.com/html***.

Pour ceux qui le voudraient absolument, on peut voir le journal de TF1 sur Internet (***www.tf1.fr***) comme celui de France 2 (***www.france2.fr***).

 DVD

Le Québec se trouve en zone 1 et l'on ne peut donc pas y lire les **DVD européens** (zone 2) sauf si l'on se procure un lecteur DVD dézoné ou qu'on les lit sur son ordinateur. Il en va de même pour les lecteurs Blu-Ray. Un Parisien spécialisé dans les différents systèmes à : **La Place Électronique 220** *(1412 boul. St-Laurent, 514-849-4441).*

La Boîte Noire (376 av. du Mont-Royal E., 514-287-1249 et 380 av. Laurier O., 514-277-6979) *loue tous les films du répertoire classique et moderne mondial. Envie de revoir un Renoir ou de montrer ce qu'était le cinéma français avant qu'il n'imite Hollywood ?*

Sans cet admirable guide, jamais vous n'auriez pu louer les films suivants, dont la traduction est imposée par la loi 101 :

Titre original	Titre québécois
Down periscope	*Y a-t-il un commandant pour sauver la Navy*
Dirty Dancing	*Danse lascive*
Speed 2	*Ça va clancher !*
Die Hard : With a Vengeance	*Marche ou Crève : Vengeance définitive*
L.A. Confidential	*Los Angeles interdite*
Men in Black	*Hommes en noir*
Trainspotting	*Ferrovipathes*
American pie	*Folies de graduation*

Les radios

en FM

Radio-Canada 95,1 et 100,7	les deux chaînes de la radio publique
CKOI 96,9	NRJ, Fun...
CHOM 97,7	rock anglophone.
CIBL Radio-Montréal 101,5	la seule « radio libre » de Montréal.
(Radio NRJ) 94,3	un zeste de hip hop en plus que CKOI.
98,5 FM	le FM parlé de Montréal.
Radio Ville-Marie 91,3	radio d'inspiration catholique avec d'excellents bulletins d'informations.
CJPX 99,5	radio classique. La publicité les fait vivre comme toutes les autres mais ici elle est faite en 1950 et lue par l'animateur : « la musique classique est encore meilleure quand on l'écoute dans une voiture munie de pneus Goodyear ». Et la pub est encore meilleure quand elle est faite par des pros.
Rythme FM 105,7	la seule à diffuser beaucoup de chanteurs français.
Cité Rock Détente 107,3	plutôt des balades et du *soft*. Les mauvais esprits l'appellent « cité-rock-matante » (voir p. 15) si vous avez déjà oublié ce qu'est une « matante ».

Par quatre chemins est l'une des plus anciennes émissions radio du monde et aussi l'une des plus intéressantes des deux hémisphères. Elle est présentée depuis plus de 40 ans par Jacques Languirand (95,1, le samedi de 20h à minuit). Réflexion sur l'être humain, sa vie, sa mort, sa psychologie, sa spiritualité et son environnement.

TAM-TAM CANADA, une émission de Radio-Canada International, s'adresse principalement aux nouveaux arrivants. Nombreux témoignages, entrevues, trucs et astuces : www.rcinet.ca

en AM

Info690 (AM)	infos en continu. Très utile pour les infos trafic.
CKAC sports 730 AM	comme son nom l'indique.

16

Faire le ménage
à Montréal

Fraîchement débarqué...

À Marc

Il y a deux acharnés dans mon poste de télévision qui passent une demi-heure par jour à hurler à propos d'une serviette. Je crois qu'ils veulent me la vendre. En attendant ce moment impossible, ils se la vendent mutuellement. C'est l'homme qui fait l'article à la femme. Pour la persuader de l'efficacité de ce chiffon, il se propose de tout salir pour ensuite tout nettoyer. A-t-on déjà vu un homme proposer de tout salir pour ensuite tout nettoyer? Ce renversement de situation semble procurer un infini plaisir à la femme car lorsqu'il renverse, expressément, de la confiture de fraises sur le parquet, elle pousse des cris sur lesquels je m'interroge. En réalité, on dirait qu'elle jouit, qu'elle se meurt. Quand il dit: «Et maintenant, de la mayonnaise!» elle s'écrie: «Oh! nooooon!» comme s'il lui disait: «Et maintenant par derrière!» Et quand il annonce: «Du cirage sur le fauteuil», elle défaille, elle n'a plus de voix, elle n'a plus de force pour l'en empêcher. Le plaisir l'étreint si fort que je ne peux croire qu'il provienne seulement du viol des règles domestiques: c'est aussi parce que c'est un homme qui va tout nettoyer.

Hélas pour elle, il le fait sans effort car sa serviette était magique. Que fait ce chiffon? Il nettoie tout sans aucun produit. Oui, cette jeune femme peut jeter tous les produits de ses armoires : ils n'ont plus d'usage. Comment ? Comment est-ce possible ? Grâce aux fibres étoilées qui éliminent 85 % des bactéries. Personne n'y avait pensé mais maintenant c'est fait, il suffisait que les fibres soient étoilées pour ranger à la poubelle l'eau de Javel, Monsieur Propre, le Lysol, le savon, les détergents et les aspirateurs : les fibres étoilées, nous dit-on, enlèvent les poussières là où elles se cachent (on dirait qu'elles les sentent) et nettoient absolument tout : les murs, le sol, le plafond, les fenêtres, la voiture, j'en oublie. Mais le mieux, c'est que cette offre incroyable n'est pas disponible dans les magasins.

Ne faudrait-il pas saisir la Cour suprême ? Comment, dans ce pays béni où les soins médicaux sont ouverts à tous, peut-on réserver les fibres étoilées à certains ? Que vont faire les autres alors ? Il faut les avertir, leur prêter un téléviseur, faire un plan chiffon starmog pour les familles, enfin il faut faire quelque chose.

Car non seulement il est ainsi devenu facile de nettoyer sans frotter et sans détergent grâce aux fibres étoilées, mais il est aussi facile de les payer. Le Monsieur nous dit qu'on peut se procurer la starmog pour un paiement facile de 49,95 $. Qu'est-ce qu'un paiement facile ? C'est un paiement rapide : et si l'on paie dans les 15 minutes, on recevra, outre la starmog, une deuxième de plus petite taille, une troisième qui lui ressemble, un boîtier pour les ranger, 12 paires de gants. Mais il faut appeler le numéro qui clignote dans les 15 minutes, ne pas remettre au lendemain ce qu'on peut faire aujourd'hui, ni à tantôt ce qu'il faut faire de suite. Car bientôt nous ne serons que poussière.

Et qui nous ramassera ?

Leçon de survie

Les anthropologues en mission auront remarqué que les «laveuses» s'ouvrent par le dessus et les portes des magasins en les tirant, il faut donc rester bi-concentré quand on entre dans une buanderie pour **faire sa lessive**. Pour ceux qui voudraient ouvrir la fenêtre, se souvenir qu'elles ne se poussent ni ne se tirent. Elles coulissent.

Le Chiffon Doré inc. offre un service de femmes de ménage hebdomadaire, bimensuel ou occasionnel *(514-325-0825)* de même que **La**

Grande Vadrouille *(514-341-0443)*. Pour faire des connaissances, on peut aussi consulter les «babillards» des magasins de photocopies et des cafés fréquentés par des étudiants.

Orchidée, *une société de nettoyage vraiment* clean. *Claude Darmond, un immigré depuis 40 ans* **(514-684-2000)**.

Lavorama Express vient chercher le linge sale, le lave et le rapporte *(5872 rue Sherbrooke O., 514-489-7701)*.

Buanderie Mousse Café, une buanderie dans un café *(2522 rue Beaubien E., 514-376-8265)*. Très sympa.

La Maison de l'Aspirateur dépanne et vend des balayeuses de seconde main, c'est-à-dire dépanne et vend des aspirateurs d'occase *(5860 boul. St-Laurent, 514-273-2821)*.

Monsieur Fix It répare tout «sauf les cœurs brisés». Une de ces vieilles boutiques de l'avant tout-jetable *(4652 boul. Décarie, 514-484-8332)*.

La Clinique de la Casserole récupère l'irrécupérable et le remet à neuf *(4048 rue Jean-Talon E., 514-723-3532)*.

Vous pouvez **vous passer de papier hygiénique** et épater votre belle-mère grâce au «bidet kit» de Hygiène Green. Intrigué? Interloqué? Fasciné? Appelez E. Rioux *(514-497-9395)*.

Immigrer

Fraîchement débarqué...

À Luciano

C'était sous Ceaucescu. Virgil avait décidé de fuir le pays à n'importe quel prix mais il dit aujourd'hui que s'il l'avait connu, il ne l'aurait pas payé, ce prix. S'il avait su, d'abord, que pour passer de l'Est à l'Ouest, il aurait dû se glisser sous un wagon et y perdre quasiment l'ouïe; que pour passer d'Allemagne de l'Ouest en France, il faudrait, parce qu'il n'avait pas d'argent pour payer le billet, se cacher dans une cuve qui s'est écroulée au premier contrôle, courir dans les wagons, s'échapper comme un criminel: mais ça, dit-il, ce n'est encore rien.

Ce n'est encore rien, en effet. Il décide de partir au Canada. Je dis aux Canadiens d'écouter cette histoire. Mais il n'a aucun passeport; il n'a presque pas d'argent. Prendre l'avion ? Rêve de riche. Le bateau ? Impossible. Que fait-il ? Avec d'autres compatriotes, il s'abrite dans un container qui doit partir sur un paquebot à Montréal. Ils sont une douzaine à se glisser, avec quelques provisions de chocolat et d'eau,

107

dans un container de 10 mètres de long, qu'on hissera sur le bateau dans 15 jours. Oui, dans 15 jours. Il faut vivre dans ce container pendant 15 jours.

« Un matin, ils ont soulevé le container et l'ont embarqué. C'était un équipage russe. La traversée a commencé. On savait que s'ils nous trouvaient, ils préféreraient nous jeter à la mer que de payer aux autorités canadiennes les amendes pour passagers clandestins, alors on ne bougeait pas, on attendait l'arrivée. On priait.

Mais il y a eu soudainement la tempête. Comme notre container était à l'arrière du bateau et n'était pas bien attaché, je l'entendais grincer et bouger avec les vagues. Je nous voyais déjà tomber du bateau, couler dans notre container entre l'Europe et le Canada. J'ai décidé que c'était trop dangereux. Il fallait sortir. Peut-être qu'ils nous tueraient. Mais j'en tuerais avant. Je pensais : celui qui voudra me tuer, je lui mordrai la gorge comme un chien, et je l'entraînerai avec moi. »

Ils sortent un à un et, par bonheur dirait-on s'il ne s'agissait pas d'humanité, on les épargne ; les Russes les remettent aux autorités canadiennes qui les menottent. Cela leur semble des gants de velours. On les nourrit, on les loge. Ils demandent l'asile politique. Un avocat s'occupe de Virgil. Il lui faut ensuite travailler pendant deux ans pour payer des honoraires de vingt-cinq mille dollars. Aujourd'hui il a tout payé. Il est libre. Il est plombier. Il est Canadien. Il m'a appris ce qu'émigrer veut dire.

Engagez-vous
qu'ils disaient:
la vérité sur l'immigration

Fraîchement débarqué...

À *Christine*

Tout Européen a l'intime certitude qu'il est attendu en Amérique du Nord pour donner aux indigènes diverses leçons sur la culture, l'amour et la manière de se tenir à table. C'est à peine, en fait, s'il ne s'étonne qu'on ne l'arrête à l'aéroport Trudeau pour lui demander: «D'où vous vient cette exquise démarche?» Chacun, d'ailleurs, selon sa nationalité: le Français vient apprendre au monde comment devrait tourner le monde, le Suisse comment il devrait économiser et le Belge comment rester pratique. Bref, de Dorval, tout ce petit monde retombe de haut quand la question devient: «Comment gagne-t-on sa vie maintenant qu'on est résident permanent et que Maman est loin?»

À vrai dire, la réponse à cette question est simplement : « Trouve-toi un job. » comme ont fait tous les émigrants depuis l'invention de l'âne, mais non : le Français demande s'il n'y aurait pas moyen d'être président de quelque chose, le Suisse s'il ne pourrait pas ouvrir un restaurant de fondue, et le Belge songe à faire des gaufres. Seulement, on leur réclame aussitôt des références. Des références ? Mais, mon brave, en voici : mon oncle présidait l'automobile-club, ma tante était serveuse et mon père a lui-même inventé la gaufre. Nous montrons nos diplômes, nos CV, nos recommandations pour s'apercevoir au bout du compte des refus, qu'on nous demandait en réalité une expérience québécoise. Quoi ? Qu'entends-je ? Nous venons tout vous donner, partager avec vous ce que la civilisation post-mésopotamienne a fait de mieux en trois millénaires d'existence alors que vous n'en avez pas un, et vous venez nous demander une expérience *québécoise* ? Mais quand Einstein a émigré aux États-Unis, lui a-t-on demandé sa calculette ?

Il y en a que cela noie dans la Labatt (qui est belge). En regardant le fond de leur verre, qu'ils font subitement rimer avec hi-ver, ils se demandent ce qu'ils sont venus faire ici. Il fait froid, les Québécois ont l'accent québécois et finalement il y avait quelqu'un en Europe avec qui ils auraient pu vivre une grande histoire d'amour. Tout ça à cause de quoi ? À cause de qui sont-ils ici en train de se dessécher alors qu'une splendide blonde, qu'un demi-dieu à moitié nu, les attend à Paris, Bruxelles ou Genève, les lèvres humides de désir ? À cause d'Immigration Canada. Oui, ce sont eux qui les ont forcés à venir près du cinquantième parallèle alors qu'ils allaient enfin exploser professionnellement, construire un foyer avec quelqu'un aux lèvres humides de désir, réussir leur vie et mériter ce qu'ils valent. À cause d'eux que maintenant ils sont dans le Grand Nord à boire une bière qui n'est même pas faite en Belgique, tout en devant calculer combien font 15 % de taxes sur 5 pintes. Ces gens sont des escrocs, des dangereux, des irresponsables. Et ces fiers descendants de Jacques Cartier n'ont qu'un mot pour conclure : « Garçon, un billet pour Paris ! »

Leçon de survie

Le Canada accueille une moyenne de 250 000 immigrants par an. S'ils achetaient tous ce guide, ce serait super. Au Québec, le nombre annuel moyen d'immigrants oscille autour de 45 000 personnes.

On compte environ **100 000 Français** au Québec et 140 000 dans l'ensemble du Canada.

Près de **70 %** des Français immigrés s'installent à Montréal (**10 %** à Québec). Ils sont en majorité des hommes (71 %) de 32 ans diplômés universitaires. Ils attendent 8 semaines avant de trouver leur premier emploi, mais 45 % estiment que celui-ci ne correspond pas à leur niveau de formation.

Le Québec est ainsi la plus grande communauté française installée hors Union européenne. Il y a d'ailleurs autant d'étudiants français au Québec qu'aux États-Unis.

Il y a des chances que les immigrants français soient **divorcés** car, selon les psychologues, peu de couples résistent à l'immigration. Soit parce qu'elle entraîne l'isolement, soit parce que les couples ont émigré à cause des problèmes qu'ils avaient dans leur couple, soit les deux, enfin bref, à la fin, l'objet de ce guide n'est pas de mentionner toutes les causes du divorce.

Il faut à peu près **un an** pour être reçu résident permanent. Il en coûte un minimum de **2 000 $**.

La plupart des **avocats** sérieux recommandent de se passer d'eux pour les cas d'immigration non problématiques (pas de casier judiciaire, pas de maladie grave).

La plupart des immigrés sérieux recommandent de se passer de **conseillers en immigration** et spécialement de ceux qui se disent honorés de vous demander seulement 5 000 $ pour vous aider. Se méfier particulièrement des agences qui ont des tas de noms et d'adresses différents… mais le même numéro de téléphone.

Aucun conseiller en immigration ne recommande de se passer de lui.

Certains immigrés disent : « la première année c'est l'euphorie, la deuxième la débâcle et la troisième la conclusion : on reste ou on repart ».

Selon Statistique Canada, les **salaires moyens des immigrants** sont plus faibles que ceux des non immigrants. Le salaire horaire moyen d'un employé né au Canada et âgé de 25 à 54 ans était de 23,72 $ en 2008, comparativement à 21,44 $ chez les travailleurs immigrants, soit une différence de 2,28 $ l'heure. L'écart était particulièrement sensible

(5,04 $) chez les immigrants arrivés au cours des cinq années précédentes. Les immigrants de 25 à 54 ans ayant un diplôme universitaire gagnaient en moyenne 25,31 $ l'heure en 2008, soit environ 5 $ de moins l'heure que leurs homologues nés au Canada.

Le **Programme d'aide à l'intégration des immigrants** et des minorités visibles en emploi (PRIIME) vise à soutenir le recrutement et l'intégration au marché du travail de personnes qui n'ont pas d'expérience de travail en Amérique du Nord (Canada ou États-Unis) dans leur domaine de compétence. Il peut s'agir :

> soit de personnes immigrantes ayant obtenu la résidence permanente depuis moins de cinq ans;

> soit de personnes appartenant à une minorité visible, qu'elles soient nées au Canada ou à l'étranger.

L'aide apportée consiste essentiellement en un soutien salarial. Pour vous informer, adressez-vous à un Centre Local d'Emploi.

Selon un démographe de l'INRS, **20 %** des immigrants français retournent en France après deux ans et demi, **33 %** ne seront plus là après 5 ou 6 ans et **50 %** seront partis après 8 ans.

Amenez-les

Votre chat : la procédure pour amener un chat ou un chien au Canada :

> Posséder un certificat de bonne santé datant de moins de 10 jours établi par un vétérinaire.

> Avoir fait vacciner son chat contre le thypus et le choléra et prouver que les rappels ont été faits. Il faut également que le chat ait été vacciné contre la rage plus de 30 jours avant l'arrivée sur le sol canadien.

> Ces documents doivent être contresignés par la Direction Départementale des Services Vétérinaires.

> Payer 35 $ à la douane.

Un cochon d'Inde : le cochon d'Inde n'est pas soumis au Règlement sur la santé des animaux, il ne faut donc aucune autorisation particulière. C'est un rapatriement puisque ce mammifère provient d'Amérique, l'Inde n'a rien à voir là-dedans. *Idem* pour la dinde (autrefois appelée poule d'Inde).

Du fromage : l'importation est autorisée sauf si le fromage est présenté dans du lactosérum. Compte tenu du prix local des fromages étrangers ou nationaux, c'est toujours une bonne idée d'en apporter.

Des affaires personnelles : les immigrants peuvent apporter leurs affaires personnelles pour autant qu'ils prouvent qu'ils en sont propriétaires et en ont eu la possession et l'usage avant d'arriver au Canada. Dans ce cas, on ne paie pas de droits de douane. On peut donc emporter un aéronef privé, des instruments de musique, des collections de timbres, des appareils ménagers, ou des bateaux, ceux-ci étant classés comme « effets personnels et mobiliers » par l'Agence des services frontaliers du Canada. Profitez-en pour prendre ce qui n'existe pas ici : une **perforatrice à deux**

trous, du **Champagne** (très apprécié par les indigènes car impayable), des **boules Quiès** (inconnues au Canada), et votre **microscope** (pour lire les contrats d'abonnement de cellulaires).

Service d'information sur la frontière (SIF): *204-983-700 ou-506-636-5067* et *1-800-959-2036*, si vous êtes au Canada (24h/24).

Pages personnelles traitant de l'immigration au Québec

Consulter le forum de

> *www.immigrer-contact.com*

> *www.immigrer.com*

> Blogues de jeunes immigrants *http://alexisetcharlotteauquebec.blogspot.com*

> Un couple de français pâtissiers à Montréal *http://lespatissiersdanslegrandnord.blogspot.com*

> À Montréal, depuis le 16 août 2009 *http://marieetfrank.blogspot.com*

> Marlène et Manuel *http://blog-quebecois.blogspot.com*

> Olivier et Celia, deux Belges *http://olcel.wordpress.com*

Cinq conseils pour rédiger un CV à la québécoise

> pas de **photo**;

> pas d'indication de votre **âge** ou date de naissance;

> pas d'exposé de votre **situation maritale**;

> pas de détails sur votre **situation militaire**, ils s'en foutent;

> ajouter une feuille avec toutes les personnes à contacter pour prouver vos **références** (numéros de téléphone, adresses e-mail).

Et six autres pour l'entrevue d'embauche

> arriver **trop tôt**;

> généralement en **tenue** plutôt décontractée;

> ne pas employer **tabarnak** et **ostie** dans le but de se faire passer pour un Québécois;

> préparer la réponse à la **question**: pourquoi avoir immigré ? (vous aimez les défis);

> et: où vous voyez-vous dans **trois ans** ? (à votre place);

> ils ne veulent pas **savoir** si nous **savons** mais si nous **savons faire**.

Ils vous aideront

(recherches d'emploi,
informations juridiques, etc.)

> **Association Belgique–Canada** *(450-443-4308 ou 450-676-6475)*

> **Union Française** *(429 rue Viger E., 514-845-5195)*

> **Union Francophone des Belges à l'étranger** *(www.ufbe. be)*

> **La Maisonnée** *(6865 av. Christophe-Colomb, 514-271-3533)*

> **Hirondelle**, organisme d'aide aux nouveaux arrivants *(4652 rue Jeanne-Mance, 2ᵉ étage et 3ᵉ étage, 514-281-5696 ou 514-281-2038)*

> **Centre des femmes de Montréal** *(3585 rue St-Urbain, 514-842-6652 ou 514-842-1066)*

> **Montréal Accueil** *(Consulat Général de France, 1501 av. McGill College, bureau 1000, www.mon-trealaccueil.org)*

> **OFII** : Office français de l'immigration et de l'intégration *(les cours Mont-Royal, 1550 rue Metcalfe, 514-987-1756)*

> **Objectif Québec**, organisation privée créée par des Français installés à Montréal, réunion hebdomadaire entre francophones émigrants *(Université du Québec à Montréal (UQAM), Pavillon Hubert Aquin, Salle A2580, 400 rue Ste-Catherine E., www.objectifquebec.org)*

> **CSAI** : Centre social d'aide aux immigrants *(6201 rue Laurendeau, 514-932-2953)*

> **Ministère de l'Immigration et des Communautés culturelles** (c'est nous) *(Édifice Gérald-Godin, 360 rue McGill, 514-873-8624, www.micc.gouv.qc.ca)*

Sur le Net

> *www.jobboom.com*

> *www.french.monster.ca*

> *www.workopolis.com*

Écologie

Fraîchement débarqué...

À Mathilde

Mon grand-oncle, retraité de la « Royale », c'est-à-dire de la marine française, refusait toujours le fromage, au désespoir de sa servante. Les invités s'extasiaient, mais lui n'en voulait plus. « On a tué le camembert », affirmait-il avec un air désespéré, en regardant les prés de son château de Touraine. Il trouvait, dans les années 1970, que le camembert n'avait plus de goût : qu'aurait-il dit aujourd'hui ?

Que c'est nous qui n'avons plus de goût… Juste ciel ! Comment peut-on appeler « fromages » ces pâtes blanchâtres qui ont toutes une saveur égale, c'est-à-dire nulle, quel que soit le nom qu'on leur donne. Quel est exactement le goût de la mozzarella ? Du cheddar ? Du brie ? De je ne sais quelle pâte des Moines qu'aucun moine n'a jamais effleurée ? Ces fromages sont si réglementés, légiférés, décrétés qu'ils n'ont plus aucune constitution et qu'ils n'ont plus même d'odeur. Leur différence se limite à leur forme. Ils ont beau se présenter comme « le fromage de chez nous », ils sont de nulle part parce qu'ils doivent être consommés partout.

On dirait que les Américains, qui ont fait de leur absence de goût la norme de la planète, ont imposé à tout fromage cet ordre qu'ils donnent à leurs femmes : soyez belles mais soyez *clean*. Comme ils voulaient manger ailleurs ce qu'ils mangeaient chez eux, ils ont décidé que le fromage était de la moisissure et le McDonald excellent pour la santé.

Les fromages sont, certes, les premières victimes de cette domination du goût par les incultes. Mais les tomates ! Mais les pommes et les poires ! Mais les salades, les pommes de terre ! Elles sont belles et fades, on dirait qu'elles sont « siliconées » : oui, on dirait des Américaines. Comme on modifie maintenant le corps des femmes, parce qu'il rapporte plus d'argent quand il est plus beau, on change la saveur de mes poires : les mêmes causes donnant les mêmes résultats, leur chair est triste et utilitaire, à toutes deux. Et le beurre ? Et le lait ? Plus aucun de ces aliments n'a le goût de son nom. Quand je les vois dans les grands magasins, j'ai envie de crier à l'imposture car on me trompe. Ou d'écrire, sous une pomme : ceci n'est pas une pomme.

Que fait le Québec ? Que fait ce pays dédié plus qu'aucun autre à la nature ? Nous vend-il des produits « naturels » ? J'aurais aimé. Mais il faut reconnaître que, pour la plupart, ses porcs sont aussi maltraités que des enfants asiatiques et ses fruits sont gonflés d'eau, j'allais dire de larmes. Il produit, comme tous les autres, il « crée des emplois » en détruisant sa culture. Il est tombé dans cette grande marmite internationale dont la cuisinière, voulant contenter le plus grand nombre, a ôté le piment parce qu'il déplaît aux « Caucasiens », la noix de muscade parce qu'elle ne plaît pas aux « Afro-Américains », le sel parce qu'il nuit aux cardiaques et le goût parce qu'il pourrait alimenter des procès.

À côté, il y a ce Québec qui se bat pour ses fraises au goût de fraise, ses pommes moins rouges mais plus goûteuses, ses produits biologiques. C'est la lutte entre la culture et l'argent. Qui va gagner ? En général, c'est l'argent. Les commerçants prétendent qu'ils offriraient de tels produits en masse s'il y avait une demande. Je les crois volontiers, ils sont toujours prêts à vendre plus. Mais comment pourrait-on demander un produit qu'on ne connaît pas, je veux dire une poire qui a le goût d'une poire ? Enfant, l'on m'avait appris à reconnaître une poire Williams d'une Bon-Chrétien : si j'en voulais chez Provigo, on croirait que je me moque d'un homme politique.

En France, certains enfants, à qui l'on avait demandé de dessiner un poisson, dessinaient un bâtonnet de morue surgelé. En 1996, Ottawa a voulu interdire le fromage au lait cru mais le Québec l'en a empêché. Bravo à tous ! Mon Dieu ! Si le Québec ne s'élève pas contre les États-Unis, qui le fera, en Europe ? La francophonie est peut-être une affaire de langue : mais avant tout, c'est une affaire de goût.

Leçon de survie

Les **pommes** vendues dans les grandes surfaces sont « cirées » pour paraître plus brillantes.

Le Québec est à la pointe des **bio-technologies**. Une société québécoise a réussi à introduire des gênes d'araignée dans des moutons pour qu'ils produisent dans leur lait de grandes quantités de toile d'araignée. Ceci permettra de fabriquer des emballages du type plastique en lait de mouton élastique que l'on pourra manger. On a également propagé des gènes de flétan dans les tomates pour leur permettre de résister au gel.

Il existe plus de deux cents **fro-mages** fabriqués au Québec (pas tous avec du mouton). En juillet 2005, la fromagerie Boivin, qui fait vieillir le cheddar dans les eaux du fjord du Saguenay, a perdu ses barils, empor-tés par les courants. Il semble qu'ils aient attirés les requins du Groenland puisqu'on en a pêché un de 230 kilos dans les eaux du fleuve.

Jean Soulard (l'un des chefs les plus réputés du Québec) déclare, quoique Français, qu'il achète tous ses produits au Québec (y compris les fromages).

Pour vous y retrouver : tableau de Mansiondeïev de la correspondance des fromages

Québec	France
Saint-Basile de Portneuf	Livarot Fermier
Migneron de Charlevoix	Port-Salut
Lechevalier Mailloux	Maroilles Fermier
Mi-Carême	Camembert Antignac

Le gouvernement fédéral a refusé d'imposer l'étiquetage des produits contenant des **OGM**.

Le gouvernement fédéral n'a jamais imposé d'appellation stricte sur les conditions d'élevage du poulet (car les éleveurs sont une espèce très proté-gée dans le monde). Tout ce qui est écrit sur l'emballage relève de la publi-cité plus que de la chimie. C'est ainsi qu'on peut trouver des « arômes natu-rels issus de concentrés artificiels ».

Le **poulet Chantecler** est le seul poulet vraiment québécois. Créé grâce à de nombreux croisements en-tre diverses espèces pendant 13 ans par un trappiste d'Oka, il résiste aux grands froids. Le mâle est chanteur, les femelles sont pondeuses et rôtis-sables, c'est-à-dire pour parler triste-ment, à double fonction. Le 10 août 1921 fut une grande date pour cette volaille qui fut admise au « Standard of Perfection » de l'American Poultry Association, l'équivalent du « Walk of Fame » pour les poulets. Néanmoins, l'industrialisation demande aux poules de développer rapidement deux gros-ses poitrines, parties préférées des consommateurs. Est-ce que ça vous fait penser à quelqu'un ? Chantecler a été reconnu par l'Assemblée nationale du Québec comme l'une des races animales du « patrimoine agricole du Québec ». Mais rien n'y fait, les gens préfèrent Pamela Anderson.

Le **cheval canadien** est, se-lon ses thuriféraires, polyvalent, rusti-que, frugal, résistant, d'une endurance proverbiale et d'une robustesse légen-daire car il peut rester dehors toute l'année. Il descend en droite ligne, dit-on, des haras de Louis XIV *(www.chevalcanadien.org)*.

Le **poisson** n'est pas plus sûr que les cochons. En ce qui concerne le saumon, par exemple, des imbéciles ont trouvé le moyen d'en faire l'élevage. À part le «saumon de l'Atlantique», nous en sommes donc réduits à manger les poisons qu'ils ingurgitent. En 2001, la Fondation David Suzuki de Vancouver a révélé que le saumon d'élevage contient au moins 10 fois plus de biphényles polychlorés et de pesticides que le saumon sauvage. Ces polluants proviennent de l'alimentation (des farines animales) donnée à ces pauvres animaux : farine, huile de poisson, farine de soya, gluten de maïs, sous-produits de volaille et farine de plumes. Les Européens donnaient des moutons à manger à leurs vaches et les Canadiens nourrissent leurs poissons avec des plumes : il y a des jours où l'on regrette qu'aucun animal n'ait signé la Convention internationale des Droits de l'homme.

Le «**panier bio**» relie les citoyens aux fermes biologiques. Chaque semaine, les fermes participantes livrent leurs paniers de légumes à un point de chute dans votre quartier qu'on appelle le «Fermier de famille». Equiterre, qui gère ce système, affirme que 15 000 personnes ont été ainsi approvisionnées en produits bios (légumes, viande, miel, etc.) Le principe est simple : on s'engage à acheter pour un certain montant dans les six prochains mois, et on paie immédiatement une cotisation. Il ne reste plus qu'à attendre son panier *(www.equiterre.org ou 514-522-2000).*

ARRÊT STOP *Pourquoi ne pas cultiver ses propres légumes ? Pour les herbes, une terrasse suffit ; pour tout le reste il suffit de se* **louer un « jardinet »** *à la Ville de Montréal. Ça coûte environ 10 $ pour la saison (composez le 311).*

On peut se procurer des semences naturelles, non traitées et particulièrement adaptées au climat au **Semencier du patrimoine** *(courriel@semences.ca).* Sous l'influence des marchands et de la concentration des semences, nombre d'espèces acclimatées ont en effet disparu, ou sont en passe de disparaître. La **pomme Alexandre**, importée de Russie autrefois, a ainsi été pratiquement éliminée alors qu'elle résistait particulièrement bien aux maladies. Le «**melon de Montréal**», réputé pour la finesse de ses parfums et dont j'ai fait pousser un exemplaire à Laval, autrefois consommé jusqu'à New York, est passé près de l'extinction. La «**reinette grise de Montréal**», le **haricot Soldat de Beauce**, la **prune de Damas** (venue des Croisades), le **maïs de Gaspé**, la **carotte Sainte-Valérie** figurent parmi les espèces menacées.

Le Maître Gourmet est une boucherie bio bien connue à Montréal *(1520 av. Laurier E., 514-524-2044).*

La viande fumée traditionnelle «préparée avec notre recette secrète d'herbes et d'épices» se mange à la charcuterie hébraïque **Schwartz** *(3895 boul. St-Laurent).* Il semble que le décor n'ait pas changé depuis la date de l'ouverture en 1931. C'est laid, froid et déprimant mais on y fait la file depuis 70 ans. Il doit y avoir une raison. Le sandwich de viande fumée coûte 5,50 $. On peut y rencontrer Céline Dion (on peut aussi la voir dans *Écho Vedette*, *Allô Vedettes*, *Le Journal de Montréal*, *La Presse*, *7 Jours*, *L'Actualité…*).

Montréal plus vert

La **maison la plus écologique d'Amérique du Nord** est un duplex situé sur l'avenue du Parc, dans le quartier Mile-End de Montréal, selon le programme LEED (Leadership in Energy and Environmental Design).

Le **tri des ordures ménagères** n'est pas obligatoire, mais fortement conseillé. La Ville distribue des bacs verts en général beaucoup trop petits qu'il faut donc remplacer par de grands sacs transparents. Pour connaître la date de collecte : *311*.

Le frère d'Annie a lancé une entreprise de recyclage de **vieux ordinateurs** : **Recyc-Ordi** *(524-617-2039)*.

Recyc-Frigo offre un service de collecte gratuit à domicile, à condition que votre réfrigérateur ou votre congélateur ait 10 ans ou plus, qu'il soit toujours fonctionnel et branché et qu'il ait une dimension de 10 à 25 pieds cubes. Si vos appareils répondent à ces conditions, appelez le 1-877-493-7446 (FRIGO). Si vous n'aviez aucune idée de ce qu'est un pied cube, c'est du passé : 1 pied cube = 0,028 316 846 592 mètre cube.

La **peinture** peut être recyclée grâce aux services d'Éco-peinture. Pour connaître le lieu de dépôt ou pour acheter de la peinture recyclée : ***www.ecopeinture.ca***.

Recycler son **cellulaire** : quel que soit le fabricant de votre cellulaire, vous pouvez l'envoyer à Bell par Postes Canada sans frais et **1,00 $ sera versé au WWF-Canada** (Fonds mondial pour la nature) **pour chaque appareil recueilli** (les piles et accessoires pour téléphones portables sont aussi acceptés). Pour toute info : ***310-BELL***. Demandez le programme Bac Bell. Certaines caisses populaires Desjardins offrent également la récupération.

Les **huiles usées** sont récupérées dans les magasins Canadian Tire *(1-866-746-7287)*.

Le **vermicompostage** consiste à ordonner à un millier de vers de manger n'importe quel déchet de cuisine, y compris les restes de légumes et de fruits, le marc de café, les sachets de thé et les coquilles d'œufs (mais pas les féculents, la viande, les graisses, le frigo ni les cellulaires). Cela se fait à l'intérieur grâce à un kit que l'on se procure chez La Ferme Pousse–Menu *(514-486-2345, vermicompost@pousse-menu.com)*.

Recyclage de **métaux** et **gros électroménagers** : recyclage de métaux **Yogi** *(514-993-1241)*. Service payant.

Enfin, pour tout le reste, y compris les résidus dangereux, adressez-vous à l'**éco-centre** de votre quartier. Pour connaître l'adresse de l'éco-centre le plus proche : *311*.

Nature

Fraîchement débarqué...

À Nathalie

Si les Américains pouvaient mettre l'amour en boîte, ils l'achèteraient en France et le revendraient au Japon. En attendant, ils se proposent d'acheter l'eau de vos lacs. J'en ai vu un, l'autre jour, avec son hydravion posé quelques mètres derrière lui. Quand on lui demandait ce qu'il faisait là, il répondait simplement qu'il allait vider le lac, avec cet air d'évidence qu'ont les milliardaires devant les tâches impossibles.

Quand je dis vider le lac, je minimise car en même temps, il allait évidemment tuer quelques milliers de poissons, quelques millions d'insectes, perturber pour toujours un écosystème qui a peut-être vingt mille ans : détails que tout cela.

Bien entendu la première question de notre Américain fut de savoir à qui s'adresser car les milliardaires pensent que tout a un propriétaire, attendu qu'ils sont eux-mêmes possédés par l'argent. C'était une bonne question. Chez qui faut-il sonner en effet pour négocier non pas le lac, mais son contenu ? Il me semble que les propriétaires naturels de cet espace sont ceux qui y habitent. Mais les poissons

n'auraient jamais été d'accord et notre Américain aurait dû
faire comme ses ancêtres avec les Indiens, exterminer les
trois quarts et placer les autres en aquarium. Il aurait aussi
pu s'adresser à Dieu mais il préféra le premier ministre. Je
m'imagine la surprise de ce dernier qui ne savait pas que
c'était achetable. Mais il paraît qu'il réfléchit. Je ne savais
pas que c'était réfléchissable. Il se demande, je suppose, si
cette opération serait «créatrice d'emplois» car aujourd'hui
on tuerait bien les vieux pour procurer aux jeunes l'emploi de
les enterrer. Quoi qu'il en soit, si le Canada vend l'eau de ses
lacs, je le quitte. On dira que cela ne fait rien; mais je boy-
cotterais l'Amérique aussi. On continuera que cela ne chan-
gera pas grand-chose; mais je le ferais quand même. J'irais
dire à l'Europe, le Canada n'est plus, ses érables ont le goût
du pétrole qu'on met dans les tronçonneuses pour les fen-
dre, sa neige est carbonique et ses trappeurs sont morts;
il n'y a plus de nature au Canada. Et les Européens diront:
si le Canada n'a plus de nature, nous n'avons plus d'espoir,
nous n'avons plus de poumons. Mais je leur répondrais:
c'est bien pire. Quand le Canada n'aura plus de nature, c'est
que les hommes n'auront plus de cœur.

Leçon de survie

L'eau

L'eau potable de Montréal vient du **fleuve Saint-Laurent** près des rapides de Lachine. Montréal produit quotidiennement **1 800 000 m³ d'eau**.

Il y a très peu de marques **d'eaux minérales**, comparativement à la France et peu d'eau gazeuse canadienne naturelle à part la **Montclair**. On trouve évidemment du Perrier (hors de prix, comme partout ailleurs) mais peu de Badoit, de Spa, etc.

Les **lacs** occupent **16 %** de la surface du Québec.

Il y a près d'un **demi-million** de **lacs** au Québec. Il y en a deux millions au Canada et assez d'eau pour submerger toute la superficie du pays sous plus de deux mètres.

L'eau d'**Amos**, dans l'Abitibi-Témiscamingue, a été qualifiée d'eau la plus pure au monde (moins de 200 ppm de sels minéraux dissous et un pH de 7,1). Elle est embouteillée sous la marque Eska.

Les animaux

Les Montréalais n'aiment pas trop les **écureuils** que les Européens adorent et que les trappeurs mangeaient.

Il y a pas mal de **putois** («moufettes») autour de la ville. L'odeur d'un putois se sent à 500 mètres à la ronde et aucune douche, aucun savon ne l'enlève. La seule solution, si vous sentez le putois : prendre un bain de jus de tomate. Bizarre mais efficace.

On peut apercevoir à Montréal, pendant la nuit, des ratons-laveurs, des **coyotes**, des marmottes, des renards, des **orignaux** et des chevreuils. Comme je sais que vous ne me croyez pas, appelez gratuitement le ministère des Ressources naturelles et de la Faune pour vérifier : 1-866-248-6936.

Que faire si vous rencontrez un ours?

- *Foutez le camp (lentement).*
- *Chantez.*
- *Ne grimpez pas à un arbre.*
- *Si vous êtes néanmoins actuellement sur un arbre, appelez le **1-800-463-2191** (ligne ouverte 24 h/24).*
- *S'il vous agresse, le gouvernement recommande de faire de grands gestes tout en gardant le contact visuel. Pour le téléphone du premier ministre : **411**. Ce s'ra pas long.*

Heu-reux!

Fraîchement débarqué...

À Saber

Si le cinéma est utile, Denys Arcand est nécessaire. *Les Invasions barbares* ont montré à Cannes que la fréquentation d'un hôpital à Montréal transporte les malades à la fois en Bosnie et en Slovénie ou même en Turquie au lendemain d'un tremblement de terre, mais beaucoup plus lentement vers un médecin. Une telle description a dû retenir beaucoup de touristes de venir skier au Mont-Tremblant et peut-être, encourager certains ministres à engager du personnel.

Rien n'est moins sûr cependant.

En effet, les Québécois s'avèrent extrêmement contents de leur système de santé : ils ne doivent attendre en moyenne que 12 semaines entre la visite et l'hospitalisation, contre le double en Saskatchewan, par exemple. Bien sûr dans certaines spécialités moins urgentes (radio-oncologie) les délais moyens sont un peu plus longs (7,2 semaines), voire un peu longuets (23,9 semaines pour l'ophtalmologie) mais au fond, on attend autant pour parler à un être humain quand on appelle Bell ou Rogers. D'ailleurs aux urgences, c'est beaucoup moins long : en moyenne, en 2009, les malades passaient 19 h 48 aux urgences avant d'obtenir leur congé ou d'être hospitalisés (pour autant bien entendu qu'ils arrivent quand les urgences sont ouvertes). Ce qui ajoute à leur bonheur et les réjoit de manière indicible est en outre que les médecins, qui ne se déplacent jamais à domicile, acceptent de le faire quand le malade est mourant et qu'une femme enceinte n'attend jamais plus de neuf mois avant de voir un médecin.

Donc, pourquoi les ministres changeraient-ils quelque chose, je vous le demande ?

Leçon de survie

L'assurance-maladie

(«carte Soleil») couvre tous les Québécois y compris les résidents permanents et donne accès à la gratuité des soins de santé. Et en plus elle parle: **Carte Parlante** 24 h/24 *(514-864-3411)*.

En plus il existe un numéro de téléphone pour se plaindre: **Commissaire aux plaintes des personnes assurées** *(1-888-899-2121)*.

Les **soins dentaires** et la **psychanalyse** ne sont pas couverts par l'assurance. Si votre rage de dents vient justement de votre mère qui vous traumatisait en vous forçant à manger des pommes, désolé, mais il n'y a rien à faire au Québec.

Les médicaments ne sont

pas couverts par la «carte Soleil». Quoi? Il faut payer les médicaments icitte? Non plus, il y a une sorte de mutuelle, c'est très compliqué mais finalement c'est quasiment comme en Europe, on ne paie qu'une partie du prix.

Pour bénéficier d'une **chambre privée** dans un hôpital, il faut payer ou prendre une assurance particulière.

La plupart des Européens hospitalisés au Québec s'étonnent de l'extrême générosité et de la gentillesse du **personnel**, relativement à l'Europe.

Quand vous êtes malade

Adressez-vous au **Centre local de service communautaire (CLSC)** de votre quartier (bobos bénins) ou à «l'urgence» de la clinique la plus proche avec votre «carte Soleil» et les œuvres complètes de Marcel Proust.

Urgences dentaires: aller à l'hôpital.

Pharmacie 24 h/24 *(Promenade du Musée, 5122 ch. de la Côte-des-Neiges, 514-738-8464)*.

Ambulance *(911)*

Info-Santé permet, en cas de problème non urgent, de joindre un professionnel de la santé *(811)*.

Culture

Fraîchement débarqué...

À Sophie

Les Français qui séjournent 15 jours au Québec reviennent à Paris en chantant qu'ils ont découvert la France en Amérique ; ceux qui le visitent plus longtemps affirment que c'est l'Amérique en France : mais ceux qui y restent trois mois n'y voient que l'Amérique en français. À la vérité, en effet, le Canada français est moins éloigné de la France que sa culture de la culture française. Et comme plusieurs l'ont constaté, le constatent ou le constateront dans un couple : on peut parler la même langue et rester étrangers l'un à l'autre.

La culture française, dans son essence, tend tout entière vers la délicatesse mais n'atteint parfois que le superficiel et l'éthéré. Le Québec fait l'inverse : la France cultive l'aérien mais le Québec le solide. La France travaille la forme, le Québec s'occupe du fond : aussi les Québécois pensent des Français qu'ils font de grandes phrases pour ne rien dire et les Français, qui y mettent du style, appellent les Québécois des paysans munis d'une carte de crédit. Quoi qu'il en soit de ces injures transatlantiques, le Québécois veut des résultats, non des discours. La France donne les meilleurs parfums, les plus grands stylistes, le savoir-vivre, l'art des bons mots : le Québec est le deuxième producteur mondial d'amiante, le troisième producteur d'aluminium et l'un des plus gros fabricants d'électricité au monde. Bref, le Français adore les idées, et le Québécois le métal. On dit que c'est un latin de Scandinavie, un syndicaliste individualiste, un séparatiste qui ne veut pas divorcer. Chacun exagère et moi aussi. Mais j'ai raison en ceci : c'est que si les Québécois donnaient à la France le goût d'aller au « boutte » des choses

125

et de « pogner » ; et si la France apportait au Québec l'art de paraître et l'art de vivre, dans une sorte de contre-offensive commune aux États, nous serions tous fiers d'être franco-phones car nous aurions la culture la plus riche du monde.

Leçon de survie

Psychologie des Québécois

La ponctualité pour les Québécois consiste à arriver 10 minutes avant l'heure fixée : la notion de quart d'heure académique n'existe pas. Si vous arrivez 15 minutes après l'heure, vous avez 25 minutes de retard.

La porte du bureau reste ouverte quand on y travaille (pas la porte qui donne sur la rue, bien entendu).

Ne pas retourner un appel est un signe de non-intérêt et non de distraction (les Québecois préfèrent ne rien dire que dire non).

Comme le dit Pierre-Olivier Saire, un conseiller en « management interculturel », les valeurs québécoises reposent sur le **consensus**, la nécessité de la **familiarité** et l'**égalitarisme**. Rien à voir avec Paris.

Je me suis déjà fait **agresser** par un Québécois parce que j'avais dit que les Québécois sont susceptibles.

Cette **émotivité** explique pourquoi le Québec est aujourd'hui l'un des plus grands centres créatifs de la planète : le plus grand festival de jazz, le plus grand festival d'humour, la chanteuse la plus populaire, le plus grand cirque, et j'en passe : artistes de tous les pays, amenez-vous !

Les journaux et les magazines

> *Le Journal de Montréal :* journal populaire à très gros tirage, très bon supplément week-end. Appartient au groupe Quebecor.

> *La Presse :* le deuxième journal de Montréal.

> *Le Devoir : Le Monde* en plus austère.

> *The Gazette :* le quotidien anglophone de Montréal.

> *L'Actualité :* magazine sérieux, type *Nouvel Obs*.

> *Châtelaine :* type *Elle, avec moins de mode*.

> *7 Jours :* potins de star, genre *Voici.* Appartient à Quebecor.

> *Lundi :* potins de star, genre *Gala.* Appartient à Quebecor.

> *Échos Vedettes :* potins de star. Appartient à Quebecor.

> *Allô Vedettes :* potins de star. Appartient à Quebecor.

> **Clin d'œil :** potins de star. Appartient à Quebecor.

> **24h :** quotidien gratuit qui appartient à qui vous savez.

> **Voir :** c'est incroyable mais ce journal hebdomadaire gratuit n'appartient pas à Quebecor. Un scandale.

> **Métro :** quotidien gratuit distribué dans les stations de métro.

> **Protégez-vous :** magazine de protection du consommateur, très utile.

> **Québec Science :** excellent mensuel sur la science et la technologie pour tous.

> **Qui fait quoi :** magazine et annuaire des intervenants de l'industrie du spectacle.

> **L'Itinéraire :** est vendu par les itinérants pour 2 $ (dont 1 $ qui leur revient). Ce mensuel est intéressant et les témoignages des itinérants toujours émouvants à lire. L'un des magazines les plus enrichissants du Québec dans tous les sens du terme.

Trash & cheap

> **Sexe & Humour**, le journal des libertins : mensuel. Contient des blagues sexuelles, des petites annonces avec photos, et des articles plus ou moins pornos.

> **Crime et passion :** le numéro que j'ai en main contient un « dossier » : comment devenir un magicien du sexe ? C'est beaucoup plus simple de me téléphoner.

> **Photo Police :** faits divers avec un encart de photos érotiques et beaucoup de mots croisés.

Comment les lecteurs de *Photo Police* peuvent-ils trouver dans le numéro de juin « membre d'un collège consacré au culte d'une divinité agricole, Dea Dia », avec en 13 horizontal « écrivain algérien né en 1920 » et en 6 vertical « hydrocarbure » saturé gazeux en 7 lettres ?

> **Riches et célèbres :** vie de stars et de princesses.

Les théâtres et les salles de spectacle

> C'est un restaurant **Frite alors !** *(5405 9ᵉ Avenue)* qui finance le **Théâtre l'Instant**, fondé par de grands comédiens belges *(171 rue Demers, 514-849-5093).*

> **Théâtre d'aujourd'hui** *(3900 rue St-Denis, 514-282-3900).*

> **Théâtre Jean-Duceppe**, un des théâtres de référence à Montréal *(Place des Arts, 175 rue Ste-Catherine O., 514-842-2112).*

> **Théâtre du Nouveau Monde**, institution montréalaise *(84 rue Ste-Catherine O., 514-866-8668).*

> **Théâtre du Rideau Vert**, *idem (4664 rue St-Denis, 514-844-1793).*

> **Théâtre de Quat'sous** *(100 av. des Pins, 514-845-7277).*

> **Espace Go**, spécialisé dans le théâtre émergent *(4890 boul. St-Laurent, 514-845-4890).*

> **La Licorne** *(4559 av. Papineau, 514-523-2246).*

> **Théâtre Denise Pelletier** *(4353 rue Ste-Catherine E., 514-253 8974).*

> **Ex-Centris**, fondé par le mécène Daniel Langlois, se veut un lieu de diffusion et un laboratoire destiné à « encourager la création et provoquer innovations et rencontres entre les médias, les genres et les styles dans un environnement convivial, où le public devient acteur d'une expérience interactive en direct. » Parler à la caissière est une expérience sous-marine, vous comprendrez en la voyant *(3530 boul. Saint-Laurent, 514-847-3536, www.excentris.com).* Daniel Langlois est également le fondateur du **club privé 357c**, dans le Vieux-Montréal, destiné à favoriser les rencontres entre les élites financière et culturelle de la métropole.

Le Quartier des spectacles :
autour de la rue Sainte-Catherine et du boulevard Saint-Laurent, le Quartier des spectacles a remplacé le « Red Light », ancien lieu de jeu, de prostitution et de cabaret. Il réunit plus de 30 salles de spectacle et a l'ambition de devenir un pôle culturel international.

La Vitrine
est un guichet unique – virtuel et physique – d'information, de promotion et de vente d'activités culturelles. On y trouve également des rabais intéressants *(145 rue Ste-Catherine O., 514-285-4545, www.lavitrine.com).*

ARRÊT STOP *Certains jours, les prix d'entrée des cinémas (les mardis et mercredis) et des théâtres (les jeudis) offrent une réduction.*

Les bibliothèques

Chaque quartier dispose de sa bibliothèque municipale. L'accès comme l'emprunt y sont gratuits. La **Bibliothèque nationale du Québec** offre sur six étages une immense collection de livres, revues, films et enregistrements sonores, l'accès Internet sans fil gratuit et des outils de recherche sophistiqués : on y passerait la nuit, d'autant qu'elle est ouverte en soirée. Au deuxième étage, juste à droite en sortant de l'ascenseur se trouve la « collection pour nouveaux arrivants » remplis d'ouvrages utiles dont celui-ci, faut-il le dire.

Ouvert tous les jours, sauf le lundi *(475 boul. De Maisonneuve E., 514-873-1100, www.banq.qc.ca).*

Les cinémas

Il faut voir

La CinéRobothèque de l'ONF (Office national du film du Canada), unique au monde : l'employé qui va chercher le film demandé est un robot. On peut y visionner près de 10 000 films pour 3 $ l'heure ou 5,50 $ pour 2 heures, bonjour le rabais *(1564 rue St-Denis, 514-496-6887, www.onf.ca).*

Tous les films québécois produits après le 31 janvier 2006 doivent faire l'objet du dépôt légal auprès de la **Cinémathèque québécoise** qui organise régulièrement des rétrospectives et des expositions *(335 boul. De Maisonneuve E., 514-842-9763, www.cinematheque.qc.ca).*

Depuis 1967, le **Cinéma Parallèle** défend le cinéma indépendant du Québec et du Canada et fait découvrir de nouveaux auteurs internationaux *(3536 boul. St-Laurent, 514-847-2206, www.cinemaparallele.ca)*.

Cinéma Imax : un écran de 21,5 m de hauteur sur 28,3 m de largeur *(333 rue de la Commune O., 514-496-4629)*.

Cinéma Cinéplex (maintenant connu sous l'épouvantable nom de **Cinéma Banque Scotia):** 13 salles *(977 rue Ste-Catherine O., 514-842-5828)*.

Dollar Cinéma est au septième art ce que le Dollarama est à La Baie. Tout est à un dollar ou presque : les *pop-corns* et les « liqueurs » dont je ne dirai jamais assez qu'elles sont des boissons gazeuses. L'admission coûte 2 $ *(6900 boul. Décarie, www.dollar-cinema.ca)*.

Les **ciné-parcs** sont des cinémas en plein air, permettant de se frencher en regardant des films dans sa voiture, tout en mangeant un Mac avec maxi Pepsi. Le son est retransmis par la bande FM. Tout Québécois logique n'a pas besoin qu'on lui explique que les ciné-parcs ne sont ouverts que le soir, à cause de la lumière, et seulement en été, à cause de la chaleur.

Il existe des ciné-parcs un peu partout, habituellement à proximité des autoroutes. À Boucherville *(450-655-0692)*, à Saint-Hilaire *(450-467-0402)*, à Saint-Eustache *(450-472-6666)* ou à Québec *(418-831-0778)*.

Le **Cinéma du Parc** appartient à un cinéphile qui y diffuse du cinéma moins commercial *(3575 av. du Parc, 514-281-1900)*.

AMC Forum *(2313 rue Ste-Catherine O., 514-904-1250)*.

Quartier Latin : films en VF *(350 rue Emery, 514-849-2244)*.

Le **Cinéma Beaubien** est « une entreprise consciente du renouvellement du modèle de développement, qui n'a pas à satisfaire des actionnaires avides de rendements maximaux à court terme, qui peut plus naturellement inscrire ses stratégies de développement comme ses actions quotidiennes dans une perspective de développement durable ; et qui offre une programmation en salle comprenant principalement des films tirés du répertoire d'auteurs et de primeurs, sans exclure le cinéma commercial québécois. » Pour les nostalgiques des **salles de quartier** *(2396 rue Beaubien E., 514-721-6060)*.

On peut connaître la programmation de la plupart des cinémas de Montréal sur ***www.cinemamontreal.com***.

Douteux.org s'est donné pour mission de « développer le réflexe du questionnement par rapport à la culture de masse et éliminer l'acceptation automatique des idées reçues » tout en offrant « des expériences de visionnement enrichissantes en présentant ce que les médias de masse ont de pire à offrir ». Concrètement, les membres regardent des films stupides en jetant divers objets sur l'écran en général le dimanche soir. Infos sur ***www.douteux.org***.

Les musées

Le dernier dimanche du mois de mai se déroule la **Journée des musées montréalais** permettant de visiter gratuitement 30 musées. On peut choisir entre le magnifique **Château Dufresne** *(2929 av. Jeanne-d'Arc, 514-259-9201)* qui offre une image de ce qu'était le luxe montréalais avant la crise de 1929, l'émouvant **Musée commémoratif de l'Holocauste de Montréal** *(5151 ch. de la Côte-Sainte-Catherine, 514-345-2605)* exposant des objets personnels et les témoignages de survivants réfugiés à Montréal, le **Musée des beaux-arts de Montréal** *(1379-1380 rue Sherbrooke O., 514 285-2000)* qui réussit parfaitement l'équilibre entre l'efficacité nord-américaine et le goût européen (la collection permanente contient le bicorne que portait Napoléon en 1812 lors de la campagne de Russie), le **Musée des Hospitalières de l'Hôtel-Dieu de Montréal** *(201 av. des Pins O., 514-849-2919)* exposant 20 000 objets ou œuvres d'art liés à l'histoire de Montréal, etc. Informations sur : ***www.museesmontreal.org***.

Qui est qui au Québec ?

La plus célèbre chanteuse avant **Céline Dion** était **Mary Travers**, dite **La Bolduc**. À part ça, les stars que vous ne connaissez pas encore sont :

> **Éric Lapointe :** leur Johnny à eux.

> **Marie-Hélène Thibert :** Mireille Mathieu.

> **Nicola Ciccone :** Adamo.

> **Les Respectables :** Téléphone, Indochine.

> **La Bottine souriante**, **Navet Confit**, **Tricot Machine** et **Les Vulgaires Machins** sont des noms de groupe absolument normaux à Montréal.

> **Kevin Parent :** Maxime Le Cabrel Aufray. J'adore.

> **Marie-Chantal Toupin :** spécialité québécoise ne possédant aucun équivalent en Europe, et qui possède l'incroyable avantage de pouvoir faire rimer tous les verbes du premier groupe (en er) avec moé pis toé.

> **Patrick Normand :** une des plus belles voix du Québec.

> **Daniel Bélanger :** considéré comme une référence de la chanson québécoise.

> **Plume Latraverse :** un grand méconnu à l'écart des circuits commerciaux, dans la même lignée que **Richard Desjardins** le Magnifique, l'un des plus grands artistes de la francophonie.

> La nouvelle génération de chanteurs est notamment composée de **Pierre Lapointe** et **Ariane Moffatt** du côté francophone, de **Arcade Fire**, **Pascale Picard** et **Simple Plan** du côté anglophone. De l'avis de tous, il se passe aujourd'hui à Montréal ce qui se produisait autrefois dans le rock à Seattle.

> L'écrivain de Montréal est **Michel Tremblay**. Le seul problème est qu'il n'écrit pas en « français international ». On comprend rien pantoute, tabarnak !

ARRÊT STOP *Une bonne nouvelle:* la participation aux danses folkloriques a vraiment chuté depuis 1980.

> **Dany Laferrière** a obtenu le prix Médicis pour *L'énigme du retour* en 2009.

> **Marie-Nicole Lemieux**, lauréate du concours Reine Elizabeth, meilleur disque de l'année aux Victoires de la Musique classique 2005, est une contralto mondialement appréciée.

> **Alain Lefèvre**, sans doute le plus grand pianiste classique du Québec, a remis en avant l'œuvre du compositeur montréalais André Mathieu (1929-1968) surnommé le « Mozart québécois ».

> Le plus grand peintre de Montréal : **Jean Paul Riopelle**, décédé en 2002. Il faut aussi découvrir **Clarence Gagnon**, **Jean-Paul Lemieux**, **Chantal Poulin**, **Marc-Aurèle Fortin**… Le patrimoine pictural du Québec est encore très méconnu. Pour un aperçu du talent des peintres et sculpteurs d'ici : *www.capsq.qc.ca*.

> La **ligue nationale d'improvisation picturale de Montréal** est un regroupement d'artistes-peintres professionnels qui appliquent les principes d'improvisation à la création picturale lors d'événements mensuels : *www.virusdimprovisationpicturale.com*.

> La **Ligue d'improvisation de Montréal (LIM)** se donne en

spectacle au Lion d'Or. Pour toute info : *www.citronlim.com*.

> Le **Cirque du Soleil** est né à Charlevoix et gagne maintenant sa vie un peu partout dans le monde, dont Las Vegas. Emploie 4 000 personnes, réalise plus de 650 millions $ de chiffre d'affaires par an. Son fondateur : **Guy Laliberté**.

> Plus de 3 millions de spectateurs à travers le monde ont vu un spectacle du **Cirque Éloize** (*www.cirque-eloize.com*), et plus de 2 millions ont admiré les 62 chevaux de **Cavalia** (*www.cavalia.net*).

> Le réalisateur le plus connu : **Denys Arcand** (*Le déclin de l'empire américain, Les Invasions barbares*).

Les humoristes affichent des scores incroyables, on les voit pratiquement tout le temps à la télévision, ils représentent sans doute un phénomène anthropologique, sociologique, financier et linguistique, mais pour moi, depuis la disparition de **Sol** en 2006, il manque quelque chose dans la gamme de l'humour au Québec. On dirait qu'il y a des Jean-Marie Bigard partout, ou je ne comprends rien ? Le plus compréhensible pour nous : **Rachid Badouri**. Le plus connu pour eux : **Yvon Deschamps**. Le plus rapide pour tous : **Louis-José Houde**.

Le Québec investit des dizaines de millions de dollars dans la mode. L'un des couturiers les plus doués est **Yves-Jean Lacasse** tandis que les manteaux les plus portés sont ceux de **Kanuk**.

La parfumière du Québec s'appelle **Lise Watier**. Sa création la plus connue : *Neiges*.

Acheter des disques

> **Francophonies**, le spécialiste de la musique francophone. Importe de très nombreux disques de France et offre l'éventail le plus complet de musique française à Montréal en CD et vinyle, c'est-à-dire 12 000 dans 15 m² *(1860 rue Ontario E., 514-843-8812)*.

> **Beatnick**
CD et vinyles neufs et d'occasion. Musique variée *(3770 rue St-Denis, 514-842-0664, www.beatnick-music.com)*.

> **Freeson Rock**
Rock progressif, rock classique et métal *(1477 av. du Mont-Royal E., 514-521-5159, www.freesonrock.com)*.

> **L'Idée Fixe**
CD, DVD et jeux vidéo *(3320 rue Ontario E., 514-527-2121)*.

> **Inbeat Record Store**
Musique électronique, vinyles et CD *(3814 boul. St-Laurent, 514-499-2063, www.inbeatstore.com)*.

> **Marché du disque**
Vinyles, CD et DVD *(793 av. du Mont-Royal E., 514-526-3575)*.

> **L'Oblique**
Vinyles et CD neufs et d'occasion. Spécialisé dans la musique rock, alternative et émergente *(4333 rue Rivard, 514-499-1323)*.

> **Primitive**
Vinyles et CD. Musique variée *(3830 rue St-Denis, 514-845-6017)*.

> **HMV** *(1020 rue Ste-Catherine O., 514-875-0765)*.

> **Archambault** *(500 rue Ste-Catherine E., 514-849-6201)*.

> **www.zik.ca** est une sorte d'iTunes local permettant de télécharger de nombreux albums québécois.

Vous ne saviez pas qu'ils étaient canadiens

> **Paul Anka**

> **Pamela Anderson**

> **Saul Bellow** (Montréalais)

> **Jim Carrey**

> **Leonard Cohen** (Montréalais)

> **Glenn Gould**

> **Natalie Glebova** (Miss Univers 2004)

> **Alanis Morissette**

> **Michael J. Fox**

> **Oscar Peterson** (Montréalais)

> **William Shatner** (le capitaine Kirk de Star Trek)

> **Mylène Farmer** est née au Québec.

Vous croyiez qu'ils étaient québécois

> **Roch Voisine** vient du Nouveau-Brunswick.

> **Lara Fabian** vient de Etterbeek (Belgique).

> **Daniel Lavoie** vient du Manitoba.

> **Natasha Saint-Pier** est une Acadienne.

> **Ultramar, Du Maurier, Canada Dry, la Station du Mont-Tremblant** sont américains ou britanniques.

Principals festivaux

Printemps

> **FrancoFolies de Montréal** (514-876-8989, www.francofolies. com)

> **Mondial de la bière** (514-722-9640, festivalmondialbiere.qc.ca)

Été

> **Célébration de la fierté gaie et lesbienne** (514-285-4011)

> **Festiblues international de Montréal** (514-377-8425, www. festiblues.com)

> **Festival des films du monde de Montréal** (514-848-3883, www.ffm-montreal.org)

> **Festival international de jazz de Montréal** (514-871-1881, www.montrealjazzfest.com)

> **Festival international de Lanaudière** (450-759-7636, www.lanaudiere.org)

> **Festival international Nuits d'Afrique** (514-499-9239, www. festivalnuitsdafrique.com)

> **Festival Juste pour rire** (514-790-4242, www.hahaha.com)

> **Fête nationale du Québec** (514-849-2560)

> **Grand Prix Air Canada** (514-924-7878, www.grandprixmontreal. com)

> **Masters de tennis du Canada** (514-273-1234, www.rogerscup.com)

Automne

> **Coup de cœur francophone** (514-253-3024)

Hiver

> **Festival international du film sur l'art** (4428 boul. St-Laurent, suite 500, 514-874-1637, www. artfifa.com)

> **Festival Montréal en lumière** (400 boul. De Maisonneuve O., 8e étage, 514-525-8033, www.mon-trealenlumiere.com)

> **La fête des Neiges** (1 circuit Gilles-Villeneuve, 514-872-6120)

> **Igloofest**, « un puissant antibio-tuque contre le frette » (18 ans et plus) (www.igloofest.ca).

> **Les rendez-vous du cinéma québécois** (680 rue Ontario E., 514-526-9635, www.rvcq.com)

> **Salon international de l'auto de Montréal** (514-331-6571, www.salonautomontreal.com)

Guide de la **déprime** à Montréal : **les endroits à voir**

Leçon de survie

- Les restaurants **Tim Hortons**.
- Les restaurants **La Belle Province**.
- Le dernier album de **Ginette (Reno)**.
- **La robe** dans laquelle se trouve Ginette quand elle interprète son dernier album.
- Un Tim Hortons en écoutant le **dernier album** de Ginette tout en regardant la robe qu'elle porte.
- **L'adresse Internet** du festival Juste pour rire (***www.ha-haha.com***).
- La **vitrine** du restaurant **Schwartz** (des morceaux de clients séchés) (*3895 boul. St-Laurent*).
- Le **pavillon Decelles des HEC** dans le quartier Côte-des-Neiges, quand on y arrive au mois de février vers 17 h en écoutant le *Best of* de Ginette parce qu'on a un chagrin d'amour et qu'il ne reste dans le frigo que du Paris Pâté.
- Le **silo à grains du Vieux-Port** ne sert plus à rien mais on le garde parce qu'il fait partie du patrimoine.
- Le site **www.quitterle-quebec.com**.

24

Ils peuvent vous aider

Leçon de survie

> **A-asso-association des bègues du Canada** *(1-877-353-2042)*

> **Association des dépressifs et des maniacodépressifs**, en voie de fusion avec l'Association des professionnels de l'industrie de l'humour *(514-529-5619)*

> **Fédération des femmes du Québec** *(514-876-0166)*

> **Association de suicidologie** (mais il n'y a jamais personne qui répond au téléphone, c'est bizarre)

> **Association québécoise des personnes de petite taille** *(514-521-9671)*

> **Association des pères Noël de la province de Québec** *(450- 678-2847)*

> **Association des sceptiques du Québec** (je ne suis pas vraiment sûr qu'ils existent) *(www.sceptiques.qc.ca)*

> **Comité québécois pour la reconnaissance des droits des travailleurs haïtiens en République dominicaine** (les appeler en Belgique)

> **Déprimés anonymes (Les)**, ils ne savent même plus comment ils s'appellent *(514-278-2130)*

> **Fédération québécoise des professeures et professeurs d'Université** (chercher le numéro dans la nuaire)

> **Fondation canadienne des Rêves d'enfants** réalise des rêves d'enfants *(514-289-1777)*

> **Association des popotes roulantes Montréal Métropolitain** *(514-937-4798)*

> **Cocaïnomanes anonymes** *(514-527-9999)*

> **Centre du ronflement** *(514-327-5060)*

> **Outremangeurs anonymes**, téléphoner aux heures des repas *(514-490-1939)*

> **Sexoliques anonymes**, la réceptionniste s'appelle Fernande *(514-254-8181)*

Qui a eu cette
idée folle ?

✓ *Fraîchement débarqué...*

À Cathy-Lou et Lolita

Et puis il y a les chères têtes blondes.

Tout naturellement, l'anxiété de la petite émigrante se concentre sur le haut lieu de ses tourments ; cette fois, elle a la prime d'être nouvelle et différente. Elle a déjà entendu que « gosse », ici, a une autre signification. Elle a vu ses parents se débattre avec la notion de commission scolaire, secteur géographique dont l'obscur critère découpe la Ville en deux commissions, celle de Montréal et celle de Marguerite-Bourgeoys. Elle les a observés compléter soigneusement les dossiers d'inscription, rassembler hâtivement ses bulletins précédents, vérifier fébrilement que son carnet de vaccinations est à jour – pas encore une piqûre, hein maman ?

Il y a de bonnes nouvelles : l'école finit à 15 heures ; et de moins bonnes : il y a école les 5 jours de la semaine. Ses parents lui cachent lâchement que le calendrier scolaire québécois compte environ une vingtaine de jours de vacances par an de moins qu'en France. Il y a des choses amusantes comme de s'équiper de l'indispensable boîte à lunch et des Ziplocs ; et d'autres plus embarrassantes qui, le pressent-elle, vont la « rendre toute mêlée » : les cartables sont maintenant les classeurs qui sont les chemises. Son étui à crayons se remplit d'aiguisoir, d'efface et de tape, et son sac d'école se charge de cahiers Canada et de feuilles lignées serrées dans des « duo tang ».

Le grand jour est arrivé, elle le vit vêtue de neuf, c'est pareil partout. Elle cherche sa classe – tu entres en troisième, ici les classes vont en montant, tu t'en souviendras ? – elle la trouve enfin, on la présente à des visages curieux et souriants – assois-toi là ma chouette – elle se détend un peu, le professeur commence à parler, et voilà, elle ne comprend plus rien et ne peut pourtant pas l'avouer.

Les enfants partagent universellement le même talent : il faudra moins de deux semaines pour que ce soit elle qui explique le Québec à ses parents.

Christine Ouin

Leçon de survie

Le primaire et le secondaire

Au Québec, l'école est obligatoire pour tous les enfants de 6 à 16 ans. Aux termes de la Loi sur le ministère de l'Éducation, les parents ont le droit de choisir les établissements qui, selon leurs convictions, assurent le mieux le respect des droits de leurs enfants. Dans la pratique, ceux-ci sont reçus à l'école de leur secteur géographique de résidence – les commissions scolaires – sauf dérogation.

La même loi stipule que les enfants ont le droit de recevoir l'enseignement dans la langue de leur choix (français ou anglais). Au Québec, 80 % des enfants sont scolarisés en français. L'enseignement de l'autre langue est obligatoire dès la première année.

Le service éducatif public est gratuit et 92 % des enfants du Québec sont scolarisés dans les écoles publiques. La plupart des écoles offrent une année de préscolarité pour les enfants à partir de cinq ans. Pour les plus petits, il existe des garderies publiques, semi-publiques et privées, qui pratiquent différents tarifs *(www.magarderie. com)*. Le plus souvent, il faut inscrire l'enfant sur une liste d'attente avant d'obtenir une place pour lui.

En général, les écoles privées sont subventionnées par l'État et le coût de la scolarité varie de 1 000 à 4 000 $ par an, en fonction des services et activités parascolaires proposés par ces établissements. Les écoles privées imposent souvent le port d'un uniforme rarement seyant et toujours dispendieux.

L'enseignement est divisé en enseignement primaire qui dure six années et en enseignement secondaire de cinq années. Il y a ensuite deux années d'enseignement collégial dans les cégeps (ça veut dire collège d'enseignement général et professionnel) qui doivent être achevées pour entrer à l'université.

Enfin, il existe à Montréal trois établissements relevant du gouvernement français principalement destinés aux enfants des expatriés.

Il existe cinq commissions scolaires à Montréal, dont deux anglophones.

> **Commission scolaire Marguerite-Bourgeoys** *(1100 boul. de la Côte-Vertu, Ville Saint-Laurent, H4L 4V1, 514-367-8700)*

137

> **Commission scolaire de Montréal** *(3737 rue Sherbrooke E., Montréal, H1X 3B3, 514-596-6000)*

> **Commission scolaire de la Pointe-de-l'Île** *(550 53e Avenue, Montréal, H1A 2T7, 514-642-9520)*

> **Fédération des établissements d'enseignement privés (FEEP)** *(1940 boul. Henri-Bourassa E., 514-381-8891, www.feep.qc.ca)*

À noter qu'à la même adresse et au même numéro de téléphone, on trouve

l'ACPQ, soit l'Association des collèges privés subventionnés du Québec.

Écoles relevant du gouvernement français et enseignant le programme obligatoire de la République :

> **Collège Marie de France** *(4635 ch. Queen Mary, 514-737-1177, www.mariedefrance.qc.ca)*

> **Collège Stanislas** *(780 rue Dollard, 514-273-9521, www.sta-nislas.qc.ca)*

Institut de tourisme et d'hôtellerie du Québec (ITHQ)
(514-282-5108 www.ithq.qc.ca)

Franchement, on ne voit pas ça en Europe, et pas même à l'École supérieure de cuisine française. Les programmes vont du niveau secondaire au niveau universitaire. On y forme notamment des cuisiniers, des pâtissiers, des biscuitiers, des entremettiers et des confiseurs glaciers. Le programme 409.477 est intitulé « Petits gâteaux et petits fours frais », mais le 409.338 se consacre aux crèmes et garnitures car il forme des crémiers. Et tous ces petits pâtissiers, entremettiers de tous bords fabriquent toute l'année, pendant que nous sommes dans les embouteillages, des sculptures de sucre, des canards aux noms compliqués, des poissons du Grand Nord qu'ils mangent ensuite, car on leur permet d'acheter, pour eux, la cuisine qu'ils préparent. Ils forment aussi des sommeliers (la seule salle de cours au Québec avec des crachoirs), des cochers, des maîtres d'hôtel et des concierges. L'école offre des formations continues pour les goujats et les sans-gêne (« Étiquette à table », 3 h), des cours-repas pour les goinfres (« Histoire du chocolat », 3 h), la seule bibliothèque culinaire de la province, un hôtel quatre étoiles, et deux restaurants dans lesquels les élèves s'exercent devant le public qui se régale.

Il y a plus de 1 000 élèves, une salle de gustation où les lumières sont tronquées afin de ne pas influencer les panels de goûteurs, une hotte contenant des bactéries pour manger la graisse qui s'échappe des fourneaux, des partenariats avec Hydro-Québec, Metro, la SAQ, un accord de stage avec les quelque 500 établissements de Relais & Châteaux, enfin, je vous le dis : quand les Québécois s'y mettent, ça fait mal de se retrouver à la Casa grecque.

L'université

Il faut être universitaire pour comprendre que:

> le système est basé sur les «crédits» (les matières) et les cycles. Bien entendu, plus il y a de crédits, plus c'est long;

> le nombre de crédits cumulés donne droit au «certificat» (30 crédits, 2 trimestres), au «diplôme» (60 crédits, 4 trimestres) ou au «baccalauréat» (90 crédits minimum), lequel peut être «spécialisé», «honours», avec «majeure et mineure» ou «multidisciplinaire»;

> pendant tout ce temps, la plupart des étudiants se spécialisent aussi en centres d'appels, au McDo ou au Casino de Montréal pour payer leurs études;

> la TELUQ est la première et la seule université totalement à distance au Québec (360 cours et 75 programmes). Ses programmes sont sanctionnés par un diplôme de l'UQAM (www.teluq.uquebec.ca).

Équivalence des diplômes

> En ce qui concerne les étudiants, l'équivalence est étudiée par l'école ou l'université à laquelle on veut s'inscrire. Pour le primaire et le secondaire, on prend en compte l'âge et le dossier individuel.

> En ce qui concerne le marché de l'emploi, le service des équivalences donne un avis consultatif d'équivalence.

> Un accord intergouvernemental a été conclu entre le Québec et la France (mais non la Belgique ni la Suisse) établissant les équivalences suivantes, qui restent très théoriques:

Europe	Québec
Bac	DEC
Licence	Baccalauréat
Master	Maîtrise
Doctorat	Doctorat

> **Ministère de l'Éducation, direction régionale de Montréal** (500 rue Fullum, 10e étage, Montréal, H2K 4L1, 514-873-4630, www.meq.gouv.qc.ca)

> **Évaluation comparative des études effectuées hors Québec: service des évaluations comparatives d'études** (255 boul. Crémazie E., Montréal, H2M 1M2, 514-864-9191, evaluations.comparatives@micc.gouv.qc.ca)

> Évaluation payante au **Centre d'information canadien sur les diplômes internationaux** (252 rue Bloor O., Toronto, Ontario, M5S 1V5, 1-416-964-1777)

Des trucs plus drôles

L'**École Nationale de l'humour** ne blague pas avec sa formation «où la conscience sociale, la qualité de la langue, l'intégration des nouvelles technologies et l'exploration des applications humanitaires côtoient les objectifs d'efficacité comique et le développement d'une originalité» (514-849.7876, www.enh.qc.ca).

L'**École nationale de théâtre du Canada** enseigne l'interprétation, l'écriture dramatique, la mise en scène, la scénographie et la production, dans la langue de Molière et celle de Shakespeare *(www.ent-nts.ca).*

L'**École Nationale de Cirque** s'est bâtie une réputation internationale dans les arts circassiens *(www.ecole-nationaledecirque.ca).*

L'**École du Show-business** forme des techniciens de scène et des managers *(www.ecoledushowbusiness. com).*

Montréal offre également des formations, ateliers et cours sur le **secourisme** *(514-875-5544),* le **massage yoga thaïlandais** *(514-270-5713),* l'**extension de cils en un jour** *(www.cilsevolution.com),* la **sécurité privée** en 180 heures *(514-277-6053),* le **strip-tease** *(514-248-0212),* le **magasinage au marché Atwater avec un chef** *(Ateliers & Saveurs, 514-849-2866),* l'**art de vivre** *(514-231-7116, www.yogamontreal.com),* l'**air-brush** *(514-528-2657),* les **habiletés érotiques et expression de l'amour** *(info@sexocorporel.com),* la **langue des signes gratuitement** *(www.courslsq.net),* le **chant des oiseaux** au parc national des Îles-de-Boucherville *(1-800-665-6527),* le **savoir-vivre des chiens** *(514-356-8000),* la **gestion de l'abondance des courriels avec Outlook** *(1-877-928-1885),* les **échecs** *(514-315-9089),* le **Qi Gong** avec une excellente prof *(Céline Paré, 514-274-4481),* la **couture de base** avec Amélie *(gingras_amelie@hotmail.com),* le **cheerleading pour adolescente** avec Gaëlle *(gaelle_vallee@msn.com),* la **danse de poteau aérobique** avec Alternative Fitness *(514-445-5252),* l'**anglais en dégustant de la cuisine italienne** *(confi.trust@gmail.com),* le **didgeridoo** *(514-919-4089),* la **danse pour enfants de 18 mois** *(450-332-1700),* le **dessin avec le cerveau droit** *(514-872-3947)* et vous pouvez apprendre à **retrouver vos ancêtres québécois** *(514-521-1308),* **devenir hôtesse de l'air** *(514-482-1044),* **chasser et appeler l'orignal** *(450-628-9123),* **danser la tecktonik** *(514-303-0391),* **nourrir un bébé et changer une couche** *(514-249-4846),* **apprendre la conduite hivernale** *(www.mecaglisse.com),* et à défaut d'être un exemple pour tous, devenir un **modèle pour les photographes** *(514-651-8289).*

26

Immigrer
autrefois

Fraîchement débarqué...

À *Ginette et Willy*

Quand nous sommes arrivés à Montréal en 1950, les Québécois nous reprochaient de venir prendre « la job ». Nous ne comprenions pas leur langue, nous ne comprenions pas leur culture. À Montréal, il n'y avait qu'un endroit où l'on pouvait trouver des croissants ; il n'y avait pas d'« expresso », pas de magasins rue Saint-Denis. Les gens nous regardaient comme des bêtes sauvages parce que nous étions des Européens et que nous parlions français. Quand nous sommes arrivés ici, me disent Ginette et Willy, nous avons voulu repartir.

La vie a été très dure pour nous. Nous étions des parias, des immigrés. Rejetés de notre pays, nous l'étions davantage de celui-ci : mais imaginez-vous ce que cela a été pour les Noirs venus d'Haïti ou d'Afrique ! En 1950, les Québécois n'avaient jamais vu une personne de couleur. Ils les traitaient d'une manière que je ne pourrais expliquer sans pleurer, mais j'en pleure déjà alors que je ne l'explique pas encore.

Le Québec était habité par une majorité d'incultes mais tout étranger était, pour eux, un sauvage. Nous, parce que nous étions Européens et snobs alors que nous n'avions rien que nos deux enfants et l'espoir de nous intégrer ; eux, à cause de la couleur de leur peau qu'ils identifiaient à celle du diable. Ces gens ne croyaient qu'à leur peur. La peur du voisin plus riche, de la femme plus belle, de la réussite, de la dif-

141

férence. Ils ne lisaient aucun livre, n'écoutaient pas la radio, mangeaient des choses épouvantables mais les mangeaient tous les jours. Ces fils d'immigrants jugeaient les émigrés ; ces Blancs qui occupaient les terres indiennes condamnaient la couleur. Ces descendants de paysans incultes cultivaient la haine : en 1950, le Québec était un enfer pour les étrangers et un paradis pour la jalousie. Ils mangeaient de la langue de porc comme par affinité et rejetaient tout ce qu'ils ne comprenaient pas mais ne comprenaient pas grand-chose : ni l'anglais, ni le français, ni d'où ils venaient et pas du tout où ils allaient. Ils traitaient les femmes comme des vaches et se conduisaient en cochons : le Québec était une immense ferme mal tenue.

Il n'y a pas de « bon vieux temps » pour les vieux immigrants et ils sont unanimes. Ils ne le disent pas aux Québécois car ils leur ont pardonné.

Mais eux aussi, ils se souviennent.

Leçon de survie

Entre les années 1610 et 1640, à peine **trois cents Français** avaient débarqué au Canada. Une vague plus importante d'immigration apparaît jusqu'en 1670, date à laquelle le nombre de nouveaux arrivants français se stabilise à une cinquantaine de personnes par année. La plupart des émigrants proviennent des provinces maritimes de l'Ouest de la France dont ils fuient la misère. Ils sont jeunes, analphabètes et pauvres.

Les **vaches** arrivent vers 1619 suivies des **moutons** et des **chèvres**, avant les **ânes** en 1620. Les vaches servent surtout aux travaux. L'âne disparaît peu à peu. En 1683, on en recense 15. En trois ans, j'en ai vu deux dans la ferme d'un centre commercial. Les **chats** arrivent également avec les Européens alors que les Indiens avaient des chiens depuis toujours.

La pomme de terre n'apparaît sur les tables au Québec qu'au XVIIIe siècle. Pour les frites, on attend toujours.

Mais la **bière** apparaît beaucoup plus tôt et la première brasserie est créée dans les années 1650, c'est fou ce qu'on apprend dans ce guide.

En 1709, Louis XIV autorise la déportation des **enfants trouvés** pour en débarrasser Paris, alors que certains tribunaux envoient les condamnés dans la colonie pour

« s'occuper de la culture des terres et les obliger d'élever leurs enfants dans la vie chrétienne et d'avoir une vie civile honnête pour gagner leur vie ». Cela n'arrange pas tout le monde : « Il est dangereux d'envoyer des fainéants au Canada », déclare un administrateur. Ah bon ?

Encore un mot à propos des **vaches** : au XIXᵉ siècle, la seule manière de les transporter vers l'abattoir consistait à les faire nager derrière l'embarcation du canotier. Meuh si !

Alors que Richelieu interdit aux huguenots français de s'établir dans les colonies d'outre-mer, la Couronne anglaise favorise le départ de ceux qu'elle persécute, dont les quakers. Les conséquences économiques et humaines de ces différents types d'immigration ont façonné l'Amérique du Nord : puritains anglo-saxons et huguenots aux États, les autres au Québec.

Tout ce que nous connaissons de Montréal n'existait pas il y a cinquante ans. Sur le boulevard Saint-Laurent ne se trouvait alors que Schwartz. Il n'y avait aucune boutique rue Saint-Denis et très peu sur l'avenue du Mont-Royal. Pas non plus d'**expresso**.

Pèlerinage irlandais

Lieu historique national de la Grosse-Île-et-le-Mémorial-des-Irlandais : (48 kilomètres en aval de Québec, par un traversier au départ de Québec). Cette île a fait office de station de quarantaine du port entre 1832 et 1937. Vers 1830, près de 30 000 Européens arrivent chaque année, en majorité des Irlandais. Comme à cette époque il y a en Angleterre une épidémie de choléra, bientôt suivie

du typhus, on crée sur l'île une station de quarantaine qui se transforme vite en cimetière. On évalue à 5 424 le nombre de victimes enterrées. L'île est aujourd'hui un musée *(418-234-8841)*.

La **gastronomie québécoise** tournait autour des plats suivants : le pâté chinois (hachis parmentier servi, selon les dires, aux ouvriers chinois de la Transcanadienne), les oreilles de porc conservées dans l'huile, et le bifteck (sans frites ni salade, ni mayonnaise, ni ketchup).

Et la **poutine** alors ? Elle n'est apparue dans l'art de la table qu'en 1957 grâce à Fernand Lachance (pas pour nous). Il semble en effet qu'un soir de la fin août de cette année, voire début septembre selon certains historiens fondamentalistes, un consommateur répondant au nom de Eddy Lainesse s'adressa au dénommé Lachance. Il devait être approximativement 17 h 27 lorsqu'il lui ordonna de lui servir, dans un sac de papier brun, une barquette de frites et une autre de fromage. Aux fins de prévenir son client des dégâts qu'un semblable mélange ne manquerait de provoquer, le sieur Lachance s'écria aussitôt : « Ça va faire une méchante poutine ! » Hélas, il avait raison.

On buvait de l'eau et de la bière. À l'exception des navets et autres racines ainsi que des carottes, la plupart des **légumes** que nous connaissons ne se rendaient pas jusqu'ici : la tomate, par exemple, n'émigre qu'en 1860, suivie de la laitue au début du XXᵉ siècle.

Créer une
société

Leçon
de survie

Quand un Québécois dit qu'il est **incorporé**, cela ne signifie pas forcément qu'il croit en la réincarnation mais qu'il a fondé une société, qu'il appelle une **compagnie**.

Pratiquement, la loi permet à Ginette Tremblay d'exercer le commerce dans les formes suivantes.

> **L'entreprise individuelle:** le commerçant agit en nom propre et sans structure particulière. Il doit préalablement déposer une déclaration d'immatriculation au Bureau de l'Inspecteur général des institutions financières s'il n'exerce pas son activité sous son nom patronymique (Ginette Tremblay).

> Ginette peut aussi s'associer à Réjean Latendresse pour former une « **société** ». Au Québec, une société n'a pas de personnalité juridique de sorte qu'en cas de dette, Ginette et Réjean sont responsables sur leurs biens propres. Dans le cas de la société en nom collectif, les associés sont dits « solidaires » entre eux : les créanciers peuvent se retourner vers la pauvre Ginette (Association des dépressifs du Québec, *514-529-5619* pour réclamer la totalité des dettes, et non pas seulement la moitié. La société en nom collectif doit porter l'acronyme S.N.C. à côté de sa dénomination (« Tabarnak S.N.C. »).

> **La compagnie** (parfois appelée société par actions) dispose, elle, de la personnalité juridique et se rapproche ainsi des concepts que nous connaissons en Europe (S.A.R.L., S.P.R., S.A., etc.). La grosse différence pour nous est que la loi n'exige aucun capital minimal.
Il existe essentiellement deux formes de compagnie. La compagnie provinciale qui ne peut exercer son activité que dans la province où elle est immatriculée, en l'occurrence au Québec, et à l'étranger. La compagnie fédérale, elle, peut exercer ses activités sans limitation territoriale.

Dans un cas comme dans l'autre, ces sociétés exercent leurs activités sous l'appellation « inc. » (« Tabarnak inc. »).

Le coût total de création tourne autour des 1 000 à 1 500 $ tout compris.

Informations du gouvernement aux entreprises : ***www.entreprises.gouv. qc.ca***

Investissement Québec : programmes de soutien aux entreprises ***www.invest-quebec.com***

Service d'aide aux jeunes entrepreneurs : offre d'excellentes formations permettant de se familiariser avec le milieu entrepreneurial québécois *(www.sajemontrealcentre. com).*

Direction générale des corporations *(5 Place Ville Marie, bureau 800, Montréal, H3B 2G2, 514-496-1797).*

En pratique

Il est préférable de consulter un avocat pour constituer une « incorporée ».

Service de référence pour trouver un avocat : *www.reseaulegal. com*

Restaurants

Fraîchement débarqué...

À Omé

De même qu'il existe des bières sans alcool, de la crème fraîche sans matière grasse et des Français modestes, il y a, boulevard Saint-Laurent, quelques restaurants où il est impossible de se restaurer. On peut y voir un menu et un cuisinier, des serveuses qui apportent des additions, et il n'y a même que ça. Mais il n'empêche : le bruit y congestionne mon tube digestif, me ferme l'estomac, produit de l'acide gastrique et l'addition me donne envie de tout rendre.

Les serveuses de ces restaurants sont souvent des étudiantes en marketing international, en économie, enfin en beaucoup de choses qui ont beaucoup de rapports avec l'argent mais rien avec leur métier, et c'est sans doute pourquoi elles le font aussi mal. Mais elles font ce qu'on leur demande : sourire, bouger du popotin, et demander si l'on veut encore boire quelque chose. L'art de servir est devenu celui d'apporter l'addition avec un air ingénu.

Dans ces hauts lieux de rendez-vous entre l'argent et la chair fraîche disparaissent à toute allure le sens de la convivialité, celui du service, de l'accueil et de la politesse. Pourquoi pas ce nouveau « concept », me dira-t-on ? D'accord, mais pourquoi appeler cela un restaurant ? Parce qu'on y mange ? On mange aussi dans un réfectoire, une cantine, une étable. Appelons cela une « boufferie » et je n'aurai plus de problèmes. Et appelons le « service » une preuve d'amour, un droit de « cruisage », une avance, une commission, une aumône, enfin le vocabulaire ne manque pas. Mais laissons les grands mots de côté.

D'ailleurs, je ne prétends pas que ce « service » soit meilleur ailleurs ; il est exécrable dans la majorité des restaurants de Montréal. Dans les bars, quand je demande un coca, on m'apporte une boîte de coca avec une paille, comme si j'étais un âne ; mais l'on reste planté à côté de moi avec un air raide, jusqu'à ce que je paie le produit et le service, comme si j'étais en infraction. Je n'hésite pas à renvoyer le serveur à ses études et ne paie rien tant que je ne reçois pas : un verre propre, de la glace, un peu de citron et ce coca qu'il est prié de verser à ma place. La faute en est aux patrons, aux syndicats, au gouvernement : cela m'est complètement égal. C'est la mienne, si je la tolère. Et si ces gens réclament le service, je propose de leur rendre le suivant : les remplacer tous par des étudiants de l'école d'hôtellerie.

Leçon de survie

> On recommande d'additionner les taxes pour connaître le montant du **service**.

> Si vous voulez un **café**, demandez un « expresso court ». Si vous voulez une mauvaise surprise, demandez un café. Si vous voulez du lait, demandez un café au lait, et si vous en voulez un demi-litre dites « dans un bol ».

> Quand on vous demande combien d'**additions** vous voulez, cela signifie : doit-on les diviser par le nombre de convives ? Les Québécoises ne sont pas habituées à ce que vous payiez pour elles. Restons grands princes même dans le verglas.

ARRÊT STOP *Si vous n'êtes pas content du service, l'usage consiste à laisser 1 ¢ de pourboire.*

> Il faut **éviter** tous les restaurants rue Prince-Arthur, entre le boulevard Saint-Laurent et le square Saint-Louis, même en été où les terrasses semblent agréables. La nourriture y est tout simplement épouvantable et le service à l'avenant.

> **Ben's** était un restaurant de sandwichs à la viande fumée célèbre

---

dans le monde entier et fréquenté assidument par Leonard Cohen. Fondé en 1908 par un couple d'immigrants juifs, le restaurant a fermé ses portes en 2006 à la suite d'une grève des employés exigeant que le restaurant soit convenablement chauffé, un comble pour un resto de viande fumée.

> **Au Pied de cochon** s'est forgé une réputation grâce à sa poutine au foie gras (23 $). Il s'est classé dans les 10 meilleurs bistros en Amérique du Nord selon le magazine *Wine Spectator* en 2003. Son chef et propriétaire, Martin Picard, est un Québécois comme je les adore *(536 rue Duluth E., 514-281-1114, www.restaurantaupieddeco-chon.ca)*.

> **In Vivo** est une«coopérative de travail engagée socialement qui promeut les produits locaux et équitables, tant alimentaires que culturels». Délicieuse cuisine dans un environnement baba-cool *(4731 rue Ste-Catherine E., 514-223-8116, www.bistroinvivo.coop)*.

> Que j'aime **La Gargotte des Antiquaires** ! Des plats simples et parfaitement faits qu'on mange dehors ou à l'intérieur, à côté d'une galerie qui vend de l'argenterie que je vais voir en attendant le plat du jour. Un de mes préférés à Montréal *(1708 rue Notre-Dame O., 514-678-6429)*.

> En ce qui concerne la jungle du boulevard Saint-Laurent, entre la rue Sherbrooke et l'avenue des Pins, les **Globe**, **Buenanotte** et autres **Blanc** sont (très) chers, prétentieux, froids et très bruyants.

> On mange de très bons hot-dogs boulevard Saint-Laurent à la **Charcuterie Hongroise**. Vrai pain, vraies saucisses *(3843 boul. St-Laurent, 514-844-6734)*.

> À propos de viande, **Moishes** est une institution canadienne depuis 1938. Spécialité de steaks grillés et saumons grillés sur du «vrai charbon de bois» *(3961 boul. St-Laurent, 514-845-3509)*.

> Un peu plus haut, le **Patati-Patata**. Minuscule (il y a cinq tables), c'est à peine s'il peut abriter son El Fabulous Club Machin, à découvrir *(4177 boul. St-Laurent, 514-844-0216)*.

> Le restaurant **Orange Julep**, un monument de l'architecture nord-américaine (une énorme orange), mérite carrément une visite, une photo et qu'on lève un jus à la santé des serveuses en short et patins à roulettes *(7700 boul. Décarie, 514-738-7486)*.

> Excellent steak tartare **Chez Gauthier**, où l'on se croit vraiment en France à tous les niveaux, mais qui est assez cher. L'été, dans le petit jardin, on se dirait en Touraine. Le QG de Nicolas Peyrac : *far away from L.A.* mais il affirme que la purée valait le déplacement *(3487 av. du Parc, 514-845-2992)*.

> L'**Express** n'a plus rien à prouver à personne sauf à maintenir sa réputation d'excellente brasserie de Montréal. Goûter son steak tartare *(3927 rue St-Denis, 514-845-5333)*.

> Dans le genre cuisine locale, il faut au moins voir une fois **La Binerie**, le resto le plus typique de Montréal, bien connu pour ses fèves au lard

(367 av. du Mont-Royal E., 514-285 9078).

> Dans le genre gastronomique, **Toqué!** figure parmi les meilleurs restaurants d'Amérique du Nord, mais je ne l'ai jamais essayé *(900 place Jean Paul-Riopelle, 514-499-2084).*

> La carte du restaurant **Aux vivres** contient un glossaire car il s'agit d'un établissement végétalien, c'est-à-dire sans aucun produit d'origine animale *(4631 boul. St-Laurent, 514-842-3479).*

> Vous pouvez devenir serveur bénévole chez **Robin des Bois**. Il s'agit d'un restaurant à but non lucratif dont les profits sont redistribués à des organismes de charité *(4653 boul. St-Laurent, 514-288-1010, www.robindesbois.ca).*

> Le personnel de **O.Noir** est aveugle et vous sert dans le noir complet pour que vous voyiez à quoi ressemble la cécité *(1631 rue Ste-Catherine O., 514-937-9727, www.onoir.com).*

> Mais vous apprécierez vraiment la **Pizzeria Napoletana** si vous êtes sourd car la plus ancienne de Montréal, recommandée par les Italiens eux-mêmes, fait un vacarme pas possible *(189 rue Dante, 514-276-8226).*

> Pour les Belges, il y a un sérieux problème avec les **frites** icitte. Un, il n'y a pas l'espèce de pomme de terre; deux, il n'y a pas la graisse; trois, il n'y a pas la technique. Je rappelle aux touristes que le seul procédé est: premièrement, on prend des pommes de terre belges et on les épluche. Deuxièmement,

on les laisse tremper une nuit dans l'eau pour expurger l'amidon. Troisièmement, on les coupe et on les cuit jusqu'à ce que le son de la frite change (il faut des années pour comprendre). Quatrièmement, après les avoir laissées reposer, on les replonge dans la graisse. Cette technique n'est malheureusement jamais passée complètement en Amérique. Frites de consolation au **Petit Moulinsart**, un restaurant tenu par un Belge typique amoureux de Tintin et de la musique *(139 rue St-Paul O., 514-843-7432).* Essayez aussi l'un des restaurants **Frite Alors!** *(www.fritealors.com).*

> **Eggspectation** est une eggspérience eggstraordinaire à observer: comprendre le goût des Montréalais à faire la file par –20°C pour manger des œufs. Il faudrait m'eggspliquer eggsactement le plaisir eggseptionnel qu'ils y trouvent. Moi, sous aucun préteggste... *(1313 boul. De Maisonneuve O., 514-842-3447).*

Souper après 23 heures

La plupart des cuisines ferment à 23h. Quelques exceptions:

> **Chez Alexandre:** excellente et assez chère cuisine française ouverte jusqu'à deux heures du matin tous les jours *(1454 rue Peel, 514-288- 5105).*

> **Club Sandwich**: ouvert toute la nuit *(1560 rue Ste-Catherine E., 514-523-7773).*

> **La Banquise**, l'institution des « after-hours » parce que le resto est ouvert 24h/24 et sert une poutine réputée qui guérit l'excès d'alcool par l'excès de calories *(994 rue Rachel E., 514-525.2415).*

> **Deli Express l'Entre-mise** au Casino de Montréal, Libre service ouvert toute la nuit.

> **L'Assommoir**, cuisine française ouverte jusqu'à minuit *(112 rue Bernard O., 514-272-0777).*

> **La maison V.I.P.**, délicieuse cuisine cantonaise ouverte jusqu'à quatre heures du matin tous les jours. Dans le Quartier chinois *(1077 rue Clark, 514-861-1943).*

> La plupart des *fast-food*.

Centre d'interprétation du hamburger

Vous connaissiez le Mac. Maintenant vous savez :

> que **Wendy's** sert des steaks carrés dans ses hamburgers ;

> qu'**A&W** sert de la root beer (sorte de limonade). Certains prétendent qu'on y trouve les meilleurs hamburgers ;

> que **Harvey's** vous permet de choisir votre garniture ;

> qu'**un trio de fast-food** contient l'équivalent de 35 cuillers à café de sucre, selon des nutritionnistes de l'Université de Montréal ;

> que le colonel de **PFK** n'était pas un vrai colonel. C'était un déguisement pour la promo. Harland Sanders a également travaillé comme avocat sans diplôme de droit, obstétricien sans études de médecine, et découvreur de la sauce secrète qu'il réussit à nous faire avaler. Le premier KFC a ouvert ses portes en 1952 à Salt Lake City. À peine huit ans plus tard, il devenait la plus grande chaîne de restaurants aux États-Unis ;

> que, selon les spécialistes, **Dilallo** fournit les meilleurs « burgers » depuis 1929. Plusieurs succursales. La spécialité : le Buck Burger servi avec des piments marinés dont ils gardent la recette secrète (2523 rue Notre-Dame O., 514-934-0818) ;

> que **Céline Dion** était autrefois propriétaire de la chaîne Nickels ;

> qu'**Ashton** est une chaîne de fast-food n'existant que dans la région de Québec.

Lhermitte
et la SAQ

Fraîchement débarqué...

À Louis

Le Québec est le pays du monde où le vin est le plus cher et le plus mauvais. En dessous de 10 dollars, il est impossible de le boire, et au-dessus, de le payer. Je ne sais si ce sont les taxes, le puritanisme, la pression de la bière, ou le tout ensemble mais la seule publicité réelle de la SAQ devrait être : ça coûte cher.

Que Thierry Lhermitte veuille venir s'installer ici, je le comprends : mais si c'est à cause du vin, comme le prétendait autrefois la pub de la Société des Alcools du Québec, c'est une supercherie. Enfin, comment peut-on prétendre que ces vins dénommés « Vignes de France », « Tonneaux de Bourgogne » soient du vin et viennent de France ? Et comment l'ambassade française ne réagit-elle pas ? Si l'on vendait, en Europe, du jus de maïs sous l'appellation « Souvenirs du Québec » en le faisant passer pour du sirop d'érable, j'espère que le Québec s'y opposerait : comment alors la France accepte-t-elle ainsi qu'on la calomnie ?

Qu'on ne vienne pas me dire qu'il est impossible de bien boire en dessous de 10 dollars. Il n'y a qu'ici que c'est impossible. On trouve dans des milliers de magasins en Europe, de bons vins pour cinq dollars la bouteille. Les taxes ? On y paie une moyenne de 20 % de taxes sur les vins. L'État se sucre partout, ailleurs comme ici. Le fait-il davantage ici ? Il faut le croire ; mais alors c'est un État pour les riches et ce n'est pas son rôle que de réserver les plaisirs du palais aux nantis. Il ne devrait y avoir que les commerçants pour faire cela. La vertu ? L'État décide-t-il de taxer le vin pour en diminuer la consommation, comme il décide d'interdire l'alcool après 23 heures ? Avant de nous faire des leçons de morale sur la condition dans laquelle nous serions plongés si nous étions libres, je lui suggère, en fait de moralité, de réfléchir au loto et autres loteries qu'il vend aux pauvres comme il leur vendait autrefois l'Église. Quoi d'autre ? Favoriser la production nationale ? La production de quoi, exactement ? Qui songe, en France, à fabriquer du sirop d'érable ? Le vin est une affaire de climat et de sol : le climat nous ne l'avons pas. Ce n'est pas une tare, c'est de la géographie. Enfin, quelle bonne raison pourrait-on me donner pour m'enlever le droit de partager un verre de bon vin avec la femme que j'aime et mes amis ? On devrait dire du commerce de l'État ce que Montesquieu disait de ses lois : « quand il n'est pas nécessaire d'en faire, il est nécessaire de ne pas en faire ».

Leçon de survie

L'entrepôt du vin en vrac *offre des vins acceptables que l'on embouteille soi-même* (2021 rue Des Futailles, 514-353-2021).

Pour le reste, par rapport à l'Europe, il faut souligner qu' :

> il est interdit d'acheter de l'alcool **après 23 h** ;

> il est interdit de consommer de l'alcool dans les bars **après 3 h** ;

> il est interdit de boire des boissons alcoolisées **en voiture** (même si l'on est passager) ;

> il est interdit de consommer des boissons alcoolisées **dans la rue** ;

> il est interdit d'acheter des boissons alcoolisées si l'on a **moins de 18 ans** ;

> il n'est pas interdit de consommer de l'alcool dans les **stades sportifs**.

En synthèse, tout ce qui est interdit au Québec à ce propos est autorisé en Europe (à part l'Angleterre) et inversement. Car il y a bien 15 ans qu'on ne peut plus boire de la bière dans les stades.

Selon Statistique Canada, la consommation de vin par habitant s'élève à 20 litres par année, au Québec. Un peu plus du double en France.

Contrairement à ce que prétend l'auteur de ce guide, il existe d'excellents vins au Canada, surtout dans les **vins de glace**. C'est ainsi que les vendanges tardives du Vignoble du Marathonien *(www.marathonien. qc.ca)* ont remporté une médaille d'or au concours Les Vinalies de Paris.

En décembre 2005 la SAQ, par l'entremise de deux vice-présidents, a tenté de convaincre des fournisseurs européens de hausser leur prix d'origine pour leur réclamer un rabais volume équivalent afin de hausser ses profits. Cette pratique a suscité un tollé dans la population.

Les bières

La brasserie **Molson** existe depuis 1786. Elle a fusionné avec l'américaine Coors en 2005, cessant ainsi d'être entièrement québécoise. **Boréale** (blonde, rousse, noire…) est donc le dernier grand brasseur 100 % québécois. **Unibroue** (*Eau Bénite, La Fin du monde, Blanche de Chambly*) autrefois québécoise et dans laquelle Robert Charlebois avait investi, a été achetée par la société サッポロビール.

La bière artisanale se boit à…

> **L'Amère à boire** *(2049 rue St-Denis, 514-282-7448, www.amereaboire.com).*

> **Dieu du Ciel**, de réputation internationale *(29 av. Laurier O., 514-490-9555, www.dieuduciel.com).*

> **Helm**, bières brassées sur place mais aussi cidres québécois et vins d'Amérique du Nord *(273 av. Bernard O., 524-276-0473, www. helm-mtl.ca).*

Apportez votre vin

Les restaurants ne peuvent servir du vin que s'ils ont la « licence » mais les restaurateurs ne peuvent vendre que du vin « timbré » par la SAQ. En pratique, ils achètent le vin plus cher que vous et moi car ils paient des taxes supplémentaires (en plus du permis d'alcool).

En outre, ils ne peuvent pas vendre tous les vins que nous pouvons acheter : il faut qu'ils soient vendus par la SAQ. Un exemple : les vins de glace, produits essentiellement en Ontario, ne sont pas tous vendus par la SAQ. On ne peut donc pas les proposer dans les restaurants. En revanche, vous pouvez les boire si vous les apportez vous-même, pour autant qu'il s'agisse d'un endroit où l'on ne peut pas vendre d'alcool. Bref, vous pouvez boire ce que vous voulez si vous êtes dans un restaurant où l'on ne peut pas servir d'alcool. Un dernier verre ?

Devant la cherté des vins, que croit-on que fassent les Italiens ? Ils en font eux-mêmes. Ils achètent le raisin et le vinifient. Ils ne le vendent pas. Ils le donnent à leurs amis en attendant l'abolition pure et simple de la SAQ.

Les Québécois boivent 93,8 litres de bière par an, ce qui en fait les deuxièmes consommateurs au monde, après les Allemands.

L'alcool, au contraire du vin, est abordable et, comparativement à l'Europe, moins cher. Si vous trouvez ça logique, appelez immédiatement le **911**.

Une, **sainte,** catholique et **apostolique**

Fraîchement débarqué...

À Anna

Je ne savais pas que l'Église catholique était aussi mortelle avant d'arriver à Montréal. Toutes les rues, ou presque, portent des noms de saints, il y a autant d'églises que de parcs, on « sacre » tant qu'on peut : mais de l'Église une, sainte, catholique et apostolique, que reste-t-il ? On voit peu de curés et de nonnes dans la rue ; j'entends les cloches sonner le dimanche à 10 heures mais toutes les églises sont fermées ; à part Céline Dion, je n'ai jamais vu de mariée sur aucun parvis et j'attends toujours mon premier enterrement. On dirait qu'en 50 ans, l'Église catholique a subi le sort qu'elle imposait aux cultures traditionnelles : on l'a vidée de l'intérieur.

Le curieux de l'affaire, pour un Européen, n'est pas que les églises soient désertées des fidèles, car elles le sont aussi en Europe ; qu'on y habite, ici, est déjà plus étonnant car personne n'oserait le faire là-bas. Ce qui est vraiment étrange est de constater qu'il ne subsiste absolument rien de la culture catholique au Canada français, à part des injures. Dans aucun autre pays du monde, je crois, on n'utilise les objets du culte pour s'insulter ; parfois le nom de Dieu, mais jamais le mobilier des églises. Mais dans aucun pays du monde, peut-être, on voit moins d'hosties, de tabernacles, de sacrifices qu'au Québec. Il ne reste dans la mentalité ni ce fond de jansénisme qui faisait la saveur de la conversation de mes tantes, ni cette retenue pour les choses du sexe qui en expliquait le célibat. Tout a disparu, pratique, mobilier, mode de pensée, défauts et qualités : le Québec est devenu la nation la moins catholique de l'univers.

Et pourtant, me dit-on, ce n'est pas faute d'avoir occupé le terrain. Des amis montréalais m'expliquent que le français demeure ici grâce à cette Église, que les curés ont exhorté les femmes à enfanter pour multiplier les francophones, qu'ils ont mis la main à la pâte, si l'on peut dire, plutôt deux fois qu'une ; qu'ils ont éduqué, sermonné les Iroquois comme les Hurons : mais de tout cela, de cette présence dans les églises, les écoles, les rues, les ménages ; du catéchisme, de l'éducation, des interdits, des pénitences, il ne reste rien dans la mentalité. Pas même l'horreur des curés.

N'est-ce pas curieux, pour un peuple qui se souvient ?

Leçon de survie

> **La plus ancienne église de pierres** de Montréal (1657) n'existe plus et il n'y a donc rien à voir, sauf ses fondations. On peut voir une église transformée en appartements au *6655 boul. St-Laurent*.

> En revanche, on peut admirer des fresques représentant **Mussolini** dans l'**église Madonna della Difesa**. Ces fresques, réalisées par l'artiste Guido Nincheri, ont été cachées durant la Seconde Guerre mais personne aujourd'hui ne trouve plus rien d'anormal à ça... (*6810 rue Henri-Julien*).

> Dans le genre souvenirs de guerre, l'**église St. Andrew & St. Paul** contient un immense vitrail représentant les soldats tués pendant la Première Guerre (*3415 rue Redpath*).

> L'**église Très-Saint-Nom-de-Jésus** abrite l'un des orgues les plus puissants d'Amérique du Nord (*4215 rue Adam*).

> La **cathédrale Marie-Reine-du-Monde** est une réplique au quart de la basilique Saint-Pierre-de-Rome (*1085 rue de la Cathédrale*).

> Le **Musée des Hospitalières de l'Hôtel-Dieu** retrace l'histoire des hospitalières dans ce qui fut le premier hôpital de Montréal (*201 rue des Pins O., 514-849-2919*).

> L'**Hôpital Général des Sœurs Grises :** il n'en reste que l'aile ouest et la chapelle. Ces sœurs doivent leur appellation à leur costume gris et au fait qu'on les soupçonnait de vendre de l'alcool «grisant» aux Indiens *(138-146 rue Saint-Pierre)*.

> Le dôme de l'**oratoire Saint-Joseph** est le deuxième en hauteur (97 mètres) après celui de la basilique Saint-Pierre de Rome.

 Toutes ces informations peuvent être utiles pour gagner à un jeu télévisé.

La **croix du mont Royal**, érigée en 1924, est illuminée et mesure 30 mètres de haut. Le but est de rappeler que Maisonneuve promit de planter une croix de bois à cet endroit si Montréal survivait aux inondations. Montréal a survécu, Maisonneuve a tenu sa promesse mais la croix de bois n'a pas tenu. Celle-ci tiendra.

En décembre 1881, lors d'une visite à Montréal, Mark Twain déclara : «C'est la première fois que je suis dans une ville où il serait impossible de lancer une brique sans briser la fenêtre d'une église». Si vous aussi vous avez envie de lancer une brique, consultez un médecin. La ville autrefois dite la **«Rome d'Amérique»**, compte plus de 600 lieux de culte.

Le **frère André**, portier durant 40 ans dans un collège de Montréal et initiateur de la construction de l'oratoire Saint-Joseph, a été béatifié par Jean-Paul II le 23 mai 1982. En raison de ses nombreuses guérisons miracu-leuses, il est en passe d'être canonisé et de devenir le premier saint né au Québec. On peut visiter sa chambre à l'Oratoire, devenu lieu de pèlerinage international.

Il reste **265 oblats** dans le monde dont la moyenne d'âge est supérieure à 70 ans. Quand vous aurez fini ce guide, il en restera 263.

La plupart des Québécois reconnaissent que, quand ils étaient éduqués par des religieuses, ils connaissaient l'orthographe.

Comme certains reprochaient aux écoles d'enseigner le catholicisme aux enfants, on a décidé de remplacer le cours de religion obligatoire par un cours d'**éthique et de culture religieuse**. Les enfants apprennent maintenant Jésus, Allah, Bouddha, Vishnou, Ganesh, Jéhovah et le Grand Manitou à raison d'une heure par semaine.

Les **accommodements raisonnables** désignent «l'assouplissement d'une norme afin de contrer la discrimination que peut créer cette norme et que subit une personne, dans le but de respecter le droit à l'égalité du citoyen». Prenons par exemple un Sikh et son poignard : la Cour suprême a accordé le droit de le porter à l'école. Un Sikh et son turban, qui rejette le port du casque de sécurité car il a déjà un pagri de 4 m 30 sur la tête. Refusé. Un juif hassidique et le parking : on a accepté la levée d'interdiction de stationnement dans quelques rues d'Outremont durant les grandes fêtes juives. Raël et le coiffeur : couper son chignon reviendrait à débrancher son antenne paranormale. Refusé.

31

Le Québec
en Europe

Fraîchement débarqué...

À Shantal

La notoriété du Québec en Europe est due à Charles de Gaulle et à Céline Dion, mais il n'est pas sûr qu'ils en soient les meilleurs promoteurs.

Le premier a réduit la belle province à ses ambitions politiques ; la seconde a appris aux Européens qu'on pouvait chanter fort. Les conséquences en sont que le Québec paraît aux Européens un problème politique plutôt qu'un territoire et ses habitants des chanteuses plutôt que des Québécoises.

Pourtant, quoi de plus ennuyeux que la politique québécoise quand on habite en Europe ? Et quoi de plus fâcheux que la prolifération de Célinettes dans tous les karaokés de France et de Navarre ? Où est, dans cette image, l'immensité du pays qui est sa caractéristique la plus surprenante ? Où est sa beauté ? Où sont ses lacs et ses chalets ? Les écureuils du square Saint-Louis sautillant aux côtés des fumeurs indigènes ? Les ours, les loups, les « bibittes » ? Où parle-t-on de la douceur du vent du sud dans ces arpents de neige, du soleil vainqueur et de l'explosion de millions de fleurs au mois de juin ? Non, personne en Europe ne vend le Québec pour ce qu'il est. Et les politiciens, qui ne devraient pas

157

parler de leurs problèmes à l'extérieur de chez eux, feraient mieux de décrire leur splendeur plutôt que leur misère : car la misère n'est pas une caractéristique spécifiquement québécoise. Je ne comprends pas qu'à l'étranger, les Québécois ne proclament pas la beauté de leur pays et le plaisir d'y vivre. Est-ce parce que cela leur paraît si naturel ? Pour ne pas gêner ceux qui n'y vivent pas ? Est-ce de la timidité ? De la honte ? Une sorte de complexe ?

Enfin voilà, si j'étais ambassadeur de Montréal à Paris, je ne ferais aucun discours sur l'unité nationale ; je mangerais des fraises québécoises devant la photo du lac Memphrémagog, je tartinerais mes crêpes de sirop d'érable et je passerais mon temps à dire à la France : quand reviendrai-je à Montréal ?

Leçon de survie

- > Montréal en **2 minutes** : *www.tourisme-montreal.org*.

- > Montréal en **12 lieux** : des classiques (le mont Royal, le métro Berri-UQAM) aux plus inusités (le quartier de la fourrure, le 281...) : *www.mtl12.com*.

- > Montréal en *live* : *www.montreal-cam.com* (réseau de webcams).

Montréal et le Québec en France

- > **Commission canadienne du tourisme, c/o Ambassade du Canada** (*35 av. Montaigne, 75008 Paris, 01 44 43 29 00*)

- > **Tourisme Québec** (*numéro vert en France : 0 800 90 77 77, www.bonjourquebec.com*)

- > **Service d'immigration du Québec** (*87-89 rue La Boétie, 75008 Paris, 01 53 93 45 45*)

- > **Délégation générale du Québec** (*66 rue Pergolèse, 75016 Paris, 01 40 67 85 00*)

- > **Association France-Québec** (*24 rue Modigliani, 75015 Paris, 01 45 54 35 37*)

- > **La Librairie du Québec** (*30 rue Gay Lussac, 75005 Paris, 01 43 54 49 02*)

- > **The Abbey Bookshop**, librairie canadienne (*29 rue de la Parcheminerie, 75005 Paris, 01 46 33 16 24*)

- > **Ô Québec** est une chaîne de restaurants français née à Toulouse, et maintenant présente à Rennes, Angers et Lorient. Ils offrent des plats typiquement québécois que je n'ai jamais vus au Québec : « poulet à l'érable comme au temps des trappeurs » (je me demande comment ils faisaient pour les tanner), « crème brûlée des Hurons » (une spécialité depuis le XVIᵉ siècle), poutine (il faut être dingue), « hambourgeois de bison », et menu « Davy Croquette ».

> **L'Envol**, bar québécois (*30 rue Lacépede, 75005 Paris, 01 45 35 53 93*)

> **Association des Québécois en France** (*www.quebecfrance. info*)

Ce qui étonne les Québécois à Paris, ce sont d'abord et avant tout les crottes de chiens. Ensuite, que l'on dise bonjour à des gens que l'on ne connaît pas (ses voisins dans l'ascenseur, par exemple). Dans le milieu du travail, ils sont étonnés que l'on prenne 60 à 90 minutes pour le déjeuner, que les conducteurs klaxonnent. Et généralement, ils sont extrêmement surpris que les Français (de Paris) râlent tout le temps. « En France, il ne faut jamais croire quelqu'un sur parole, il faut absolument exiger des écrits signés » et « Il ne faut surtout pas se sentir offensé lorsqu'on se fait demander un peu partout sa date de naissance, son lieu de naissance, son statut social... ». Mais « Les Français adorent les Québécois ».

Et ce que les Québécois préfèrent par-dessus tout en France : les vacances.

... en Belgique

> **Ambassade du Canada** (*2 av. de Tervueren, 1040 Bruxelles, 02 741 06 11*)

> **Délégation Générale du Québec à Bruxelles** (*av. des Arts 46, 7ᵉ étage, 1000 Bruxelles, 02 512 00 36*)

> **Office Québec Wallonie Bruxelles pour la Jeunesse (OQWBJ)** (*www.oqwbj.org*)

> **Québec Café** (*cour Saint-Gilles, 4000 Liège, 04 252 46 46*)

... en Suisse

> **Ambassade du Canada** (*88 Kirchenfeldstrasse, 3005 Berne, 31 357 32 00*)

> La **Délégation générale du Québec en Suisse** se trouve en Allemagne (*Karl-Scharnagl-Ring 6, 80539 Munich, 089 2554931-0*)

> **Association des Québécois en Suisse** (*www.toileaqs.com*)

32

De l'air !

Fraîchement débarqué...

À Benjamin

Les compagnies aériennes, non contentes de nous prendre pour des imbéciles en proposant 15 tarifs différents pour le même siège, ont également pris l'habitude de nous traiter en bétail sans que personne n'y trouve à redire. Comme le fermier n'a pas de comptes à rendre aux vaches, les compagnies partent en retard, arrivent quand elles le peuvent, font grève toutes les semaines mais ferment les portes de leurs avions si nous avons du retard, nous pressent sans gentillesse si nous tardons et nous prient d'accepter leur grève comme un phénomène naturel, prévisible et dirimant. C'est pourquoi je les hais, moi qui ai besoin d'elles. Nous n'y mangeons que quand elles ont faim, ne partons que si cela leur plaît, et passons notre temps à les attendre.

Le pire n'est pourtant pas cela mais qu'elles nous cachent une vérité énorme : qu'à voyager, comme à être amoureux, on perd sa santé. Il est connu de peu, mais ils le savent tous, que le voyage Paris–Montréal, par exemple, quand il passe par le pôle, altère tellement nos cellules sanguines que la plupart des pilotes meurent avant l'âge de mourir. Les médecins savent qu'après un voyage transatlantique, nos cellules sont tellement comprimées qu'elles en sont

160

méconnaissables. On nous empêche de fumer mais on nous inocule le cancer comme on nous impose d'embarquer à 21 h 16 sans s'excuser d'arriver trois heures après l'heure.

N'ayant aucun respect pour ces compagnies qui me méprisent, je n'entre jamais en avion que le dernier, afin de le faire attendre et de prendre la place qu'il me plaît plutôt que celle qu'on me désigne. Je me dirige naturellement vers la queue, qui est l'endroit statistiquement le moins dangereux en cas d'accident mais j'en sors le premier, en m'approchant d'un siège proche de la sortie avant l'atterrissage, parce qu'il m'est insupportable qu'on m'empêche de fumer plus longtemps. Je ne mange pas ce qu'on me sert mais bois ce qu'on me propose, afin de dormir au plus vite. J'emporte avec moi des boules Quiès, les seules efficaces, un coussin gonflable plutôt que l'oreiller des compagnies qui ne sert à rien, des œillères et une banane où je range mes affaires sans avoir à les chercher plus tard. Je ne travaille ni ne lis mais je m'endors, je bénis la rapidité du moteur et que personne, au moins pendant ce vol, ne me téléphone. Bien sûr je dors mal, car le sommeil en avion est réservé aux riches. Ce sommeil que Dieu avait donné aux pauvres également pour repos de leurs malheurs nous est interdit dans ces compagnies et nous sommes priés de rester éternellement assis dans la nuit quand les autres dorment sous des draps grâce à leur argent : mais comment peut-on respecter les compagnies aériennes qui nous respectent si peu ?

Au réveil, c'est le mauvais café qu'on nous sert sans égard à l'heure réelle ni à l'état de notre estomac. Il serait temps de souper mais on nous sert des biscuits à la confiture parce qu'il est l'heure à Paris. Le film est fini, les hôtesses sourient, le commandant qui a toujours une voix héroïque nous parle du temps qu'il fait : mais quand donc sortirai-je de ce morceau de métal ?

Et pourtant ces carlingues contiennent un rêve érotique bien représenté par les voix suaves des aéroports. Il est gênant de ne pouvoir offrir à une femme la *business class* lorsqu'on a lu *Emmanuelle* qui s'envoyait en l'air – en l'air dans les toilettes avec des gentlemen. Mais il est encore plus inconfortable, à cause des accoudoirs, qu'elle s'endorme sur notre épaule ; qu'elle ait froid, puis trop chaud, se retourne vers le voisin et qu'on craigne de la perdre, demande si l'on est bientôt arrivés alors qu'on est à peine partis. Ce spectacle est lamentable et l'on se sent minables, esclaves de la mauvaise compagnie qui nous prend pour des bœufs mais feint de nous traiter en rois, puis finit si mal et dans tellement de fatigue un voyage qu'elle nous avait vendu dans tant de luxe. Je suis gêné de n'avoir pu payer la *business class* ou la première à la femme que j'aime et chaque turbulence me paraît une preuve de cette mauvaise auberge : vraiment, quand sortira-t-on de cette carlingue ? Quand pourrai-je voir à nouveau ma femme nue et étendue à côté de moi, touchant son dos en liberté dans la simple joie de dormir ventre contre dos, sexe mou dans la raie des fesses ?

Au moins c'est la leçon que l'on tire : à dormir si mal, on envie des plaisirs ordinaires qu'on avait oubliés. Et le soir, dans la chambre retrouvée, n'est-il pas doux de se souvenir qu'il y a quelques heures, que maintenant à la même heure, des tas de gens sont inconfortablement installés à voler au-dessus de nos têtes, alors que nous sommes couchés, étendus et libres, à côté de la femme que l'on aime – qui ne veut pas faire l'amour parce qu'elle est fatiguée du voyage ?

Leçon de survie

> **Aéroport international Pierre-Eliott-Trudeau de Montréal** *(514-394-7377, www. admtl.com)*

> L'**Aérobus** assure toutes les 30 minutes une liaison par autocar entre l'aéroport Montréal-Trudeau et le centre-ville de Montréal (16 $ pour un aller simple).

> Un tarif fixe de 38 $ est imposé aux **taxis** entre l'aéroport et le centre-ville.

Pour être informé des retards sur votre téléphone portable, textez votre numéro de vol (par exemple AF123) au 23636. Le service reconnaîtra automatiquement si le vol est un départ ou une arrivée. Vous recevrez l'état de votre vol, puis le système vous demandera si vous désirez recevoir une alerte en cas de modification.

C'est terminé depuis 2004 pour l'ancien aéroport de **Mirabel** qui n'accueille plus aucun vol de passagers.

Le Terminal, film de 2004 réalisé par Steven Spielberg censé se dérouler à JFK, y a d'ailleurs été tourné l'année de sa fermeture.

Bien entendu, les **agences de voyages** sont ici comme ailleurs spécialisées ès fantaisies. Elles annoncent des «ventes de sièges» (en français: billets à prix réduits) qui coûtent plus cher qu'un prix normal et passent une bonne partie du temps à mentir. Quand elles disent, par exemple: «Il n'y a plus de place sur le vol Air France» cela signifie: «Nous avons vendu nos places».

> **Québec-Air**, **Eastern**, **Western** et **Pan-American**, les compagnies que prenait Robert Charlebois pour revenir à Montréaaal n'existent plus.

> **Air France** a fait de Montréal une destination privilégiée. Ses vols proposent un choix de repas (viande ou poisson), de vin dans toutes ses classes, des hôtesses charmantes et ce soupçon de prétention qui saupoudre la France entière *(1-800-667-2747)*.

> **Air Transat** transporte chaque année 3 millions de passagers qui ne savent pas où mettre leurs jambes quand ils mesurent plus de 1 m 50 *(www.airtransat.ca)*.

> La **Sabena**, ancienne compagnie belge, n'existe plus depuis qu'on l'avait rebaptisée «*Such A Bad Experience Never Again*».

Maintenant il n'y a plus de compagnie en Belgique. C'est malin.

> Si vous êtes sourd, préférez **Air Canada**. Cette compagnie offre un numéro de téléphone spécial pour les malentendants *(1-800-361-8071)*.

> **Air Inuit** sert surtout pour se rendre dans le Nord. Ça coûte plus cher qu'un vol AR pour Paris. La raison? Les prix sont inuits (elle est excellente) *(1-800-361-2965)*.

Transport par bateau

Une compagnie française organise le transport individuel en cabine de cargo. Il y a un départ du Havre pour Montréal, le voyage dure à peu près 12 jours. Coût: environ 1 400 € *(www.mer-et-voyages.info)*.

Dans l'autre sens, le bateau part de Montréal et passe par Gênes. Le voyage est plus long, le prix un peu plus élevé (environ 1 700 €). Les activités à bord: le ping-pong et la machine à ramer (ça peut aider) *(téléphone à Paris: 01 49 26 93 33)*.

33

Tourisme
à Montréal

Fraîchement débarqué...

À nos amis

Depuis que je suis installé en Amérique du Nord, j'ai de nombreux amis en Europe. La plupart, qui viennent me voir en vacances, décident que je le suis aussi, que mon appartement est un hôtel, ma voiture un taxi, et mon frigo sans fond. Je suis prié de leur faire visiter les «plus beaux coins» du Québec, de leur trouver le «meilleur» sirop d'érable, les plus bas «rapports qualité/prix», le plus beau lac et, s'ils ne me remercient pas quand je le trouve, c'est à peine s'ils ne m'en veulent quand je ne le trouve pas.

Quand Davide a débarqué à Dorval, il a d'abord trouvé qu'il faisait froid ; quand il est entré chez moi, qu'il y avait de la poussière sur le téléviseur. Quand il l'a allumé, qu'il n'y avait pas d'informations sur l'Europe. Quand il a vu des Québécois, il a pensé qu'ils avaient un accent : il y a des touristes qui traitent les nationaux comme des étrangers.

Il me demande ce qu'il y a à voir de «typique». Je lui réponds aussi sec : le Vieux-Port, qui a l'avantage d'être loin de chez moi. Quelques heures plus tard, il me revient les bras chargés de mocassins et d'arcs à flèches, tout enthousiaste d'avoir marché sur des «vrais pavés» comme en Europe. Et je me rends compte que cet imbécile est venu chercher à Montréal les pavés de Bruxelles, comme Boris Vian voulait voir Syracuse pour s'en souvenir à Paris.

- Sais-tu pourquoi je suis venu à Montréal ? me demande-t-il justement dans la cuisine, comme s'il était en mission secrète.
- Pour m'emmerder, ai-je envie de lui répondre – mais je lui demande d'expliquer.

- Pour voir s'il y avait des possibilités pour ma carrière.
- Quelle carrière ? fais-je, étonné, puisqu'il est bagagiste à Zaventem.
- Ma carrière de chanteur. J'ai décidé que je me lançais dans la chanson comme Bocceli. Écoute ce que j'ai composé.

Ce moment restera gravé pour toujours dans ma cuisine. Voilà Davide qui entame une sorte de chanson de bel canto, aussi fausse que possible, mais aussi fort qu'il le peut. Bocceli est peut-être aveugle mais Davide est, en outre, sourd. Et il croit que, parce qu'il chante fort, il a sa place au Québec.

- Tu comprends, dit-il en remuant une sauce italienne en boîte, qu'il m'a fallu manger ensuite, ma voix vient de mes ancêtres napolitains. Tous les Italiens sont doués pour le chant.

Tous sauf un. Et c'était lui.

Enfin quand ce Belge d'origine italienne a quitté mon appartement du Canada, je me suis souvenu de cette phrase russe : quand un ennemi sort de chez moi, j'ai l'impression qu'un ami y rentre.

Leçon de survie

Visiter

> **Centre Infotouriste** *(1001 Square-Dorchester, à l'angle des rues Peel et Ste-Catherine, 514-873-2015 ou 1-877-266-56-87, www.bonjourquebec.com)*.

Sur le Net :

> **www.tourisme-montreal.org**

> **www.museesmontreal.org**

On peut envoyer promener les emmerdeurs à plusieurs endroits de la ville, en potassant le guide Ulysse *Montréal*. Le **Biodôme** *(514-868-3000)* est une sorte d'immense Jardin des Plantes couvert (il y a des plantes carnivores). Leur suggérer également la **Biosphère** *(514-283-5000, www.biosphere.ec.gc. ca)* « premier centre canadien d'observation environnementale » ainsi que le **Jardin botanique** *(514-872-1400, www.ville.montreal.qc.ca/jardin)* l'un des plus importants d'Amérique du Nord (voir l'intéressante section consacrée aux Premières Nations (ça veut dire les Indiens). Dans le genre culturel, le **Musée des beaux-arts de Montréal** *(514-285-1600, www. mbam.qc.ca)* organise des expositions à thème qui permettront au visiteur de raconter en Europe qu'il les a vues. Il fut un temps où Montréal était ni plus ni moins que la capitale mondiale du phonogramme. *La Voix de son Maître*, c'était ici : on peut visiter le mignon petit **Musée des ondes Émile Berliner** *(514-932-9663)*. De très intéressantes expos thématiques sont également organisées au **Musée McCord d'histoire canadienne** (*514-398-7100, www.musee-mccord.qc.ca*) qui possède une exceptionnelle documentation sur l'histoire des Autochtones (ça veut dire les Indiens).

La rue Saint-Paul est la **plus ancienne rue de Montréal** (tracée en 1672) et l'**auberge Saint-Gabriel**, encore en activité, a ouvert ses portes le 4 mars 1754 (*426, rue St-Gabriel, 514-878-3561*). Elle appartient aujourd'hui à Garou et ses amis, vous savez tout.

Faites-lui faire un tour de Montréal à table (restaurant pivotant, dernier étage de l'**hôtel Delta** (*777 rue Université, 514-879-1370*), en bus **Gray Line** (*514-934-1222*) ou en **amphibus**, un bus qui roule et flotte dans le Vieux-Port (*514-849-5181*), pour voir si vous n'y êtes pas. Il se perdra certainement si on le laisse seul dans la **ville souterraine** (13 kilomètres de tunnels sous le centre-ville) mais pour l'achever, le meilleur moyen est encore de lui offrir une **poutine** et de l'amener ensuite à **La Ronde**, parc d'attractions bien connu de Montréal (*514-397-2000, www.laronde.com*).

ARRÊT STOP — C'est violent

On embarque sur un bateau de 300 chevaux qui se dirige lentement vers les Rapides de Lachine pendant que l'animatrice recommande, si l'on vomit, de le faire dans le capuchon jaune du voisin. Arrivé aux rapides, on comprend vraiment ce qu'ont ressenti les vieilles dames sur le Titanic (Saute-Moutons, 47 rue de la Commune O., 514-284-9607).

L'envoyer dans un hôtel

Un des moins chers

L'**hôtel Quartier Latin** (*1763 rue St-Denis, 514-842-8444, www.hotel-quartierlatin.com*). Activités proposées par cet établissement : randonnées pédestres...

Le plus cher

Le St-James. Appartement terrasse pour 6 000 $ la nuit. Taxes non comprises, bien sûr. Ce splendide hôtel offre tous les jours un service de thé entre 14 h 30 et 17 h, que l'on prend à l'anglaise parfois avec une harpiste en accompagnement (*355 rue St-Jacques, 514-841-3111, www.hotelles-tjames.com*).

Le plus incroyable au Québec

L'**Hôtel de Glace** à Québec. Tout y est fait en glace : les murs, les lits, le bar, le verre à vodka, l'écran de cinéma, la chapelle... Il n'y a que la note qui ne laisse pas de glace (elle est facile mais subtile) : chambre double pour près de 500 $, souper et petit déjeuner compris. On peut aussi visiter, si on n'a pas les moyens. Ça ne coûte qu'une bonne dizaine de dollars. Ouvert en janvier, fondu en avril (*www.icehotel-canada.com*).

42 informations hilarantes quand on débarque d'Europe

Fraîchement débarqué...

À Geneviève

1. Il est interdit d'apporter des légumes au Canada.

2. Les Québécois pensent qu'ils sont des colonisés.

3. Les chauffeurs de bus ne rendent pas la monnaie. On doit payer 2,75 $. On peut acheter des tickets dans les stations de métro. Ça revient moins cher.

4. En été, les chauffeurs de bus portent des shorts bleus avec des « bas » blancs (ils ne rendent toujours pas la monnaie).

5. Les Québécois estiment que les Français utilisent trop d'anglicismes.

6. Est-ce que vous avez du *small change* ? » signifie : « Est-ce que vous avez de la monnaie ? »

7. Les renseignements téléphoniques sont gratuits (quand on les appelle d'une cabine) et complètement informatisés si vous parlez correctement.

8. Les appels téléphoniques sont gratuits (sauf depuis les cabines téléphoniques) quand on appelle dans la même zone.

9. Les appels téléphoniques sont gratuits même quand on n'appelle pas dans la même zone (certains appels du 514 vers le 450 ne sont pas facturés).

10. Finalement, la gratuité du téléphone n'a rien à voir avec la zone.

11. On paie les appels que l'on reçoit sur les « cellulaires ».

12. Une « piastre » égale un dollar. Un dollar canadien vaut moins qu'un dollar américain. On dit que le dollar canadien disparaîtra bientôt au profit du dollar américain.

13. Les appartements sont souvent loués chauffage compris. On ne fait pas d'état des lieux. Ils sont loués la plupart du temps avec frigo et cuisinière. Une buanderie est installée dans beaucoup de *buildings* (on paie avec des pièces de 1 $ et de 25 ¢).

14. Les taxis sont plus aimables que partout ailleurs dans le monde et n'enclenchent leur compteur que lorsqu'ils ont pris la direction de la course.

15. Il n'est pas obligatoire de donner des pourboires aux taxis (mais c'est poli).

16. On ne dit pas à gauche et à droite, ou en haut et en bas mais à l'est, à l'ouest, au nord et au sud.

17. Mais le nord des Montréalais n'est pas le nord.

18. « Apportez votre vin » signifie que le restaurant ne peut pas en vendre car il n'a pas payé la « licence ».

19. Beaucoup de restos dans la rue Prince-Arthur affichent « Apportez votre vin » mais la bonne idée serait d'y apporter aussi sa nourriture.

20. Un verre d'eau est toujours gratuit à Montréal.

21. L'eau froide est gratuite à Montréal.

22. Il fait − 30 °C quand il fait − 15 °C (c'est à cause du facteur vent).

23. Il fait 40 °C quand il fait 30 °C (c'est à cause du facteur humidex).

24. Une addition de 100 $ coûte 130 $ (c'est à cause du service, plus les taxes).

25. Retirer 100 $ coûte 102 $ (c'est à cause des frais bancaires).

26. Un billet de 1 $ coûte 4 $ (c'est à cause des collectionneurs).

27. On ne peut pas descendre en négatif sur son compte.

28. Il y a deux fois les mêmes numéros dans la même rue (c'est à cause de la page 26).

29. Il y a des « abreuvoirs » publics à Montréal.

30. Il n'y a pas de toilettes publiques à Montréal (c'est à cause d'un Drapeau, voir p. 31).

31. Il y a parfois des choses illogiques à Montréal.

32. Tout le monde déménage à date fixe (le 1er juillet).

33. Il est impossible de trouver des déménageurs le 1er juillet.

34. L'argent gèle au Canada.

35. Les perroquets québécois ont l'accent québécois *(éleveur de perroquet : 450-464-2851)*.

36. On vend du coca dans les pharmacies.

37. Il y a plus de 10 dentistes sur le boulevard Décarie.

38. L'entrée au musée de la Monnaie à Ottawa est gratuite *(613-782-8914)*.

39. La plupart des restaurants sont pleins le jeudi (c'est le jour de la paie).

40. C'est un ordinateur qui vous appelle si vous avez oublié de rendre un livre à la Bibliothèque de Montréal.

41. Un cinéma porno est classé monument historique *(cinéma L'Amour, 4015 boul. St-Laurent)*.

42. Le PQ est le nom d'un parti politique.

Arnaques
au Québec

Fraîchement débarqué...

À Sacha

Les **prix sans taxes** ont pour effet qu'aucun commerçant ne connaît précisément le prix de ce qu'il vend. Quel est l'intérêt de cette pratique ? Faire croire que c'est moins cher. Dans les restaurants, le prix réellement payé est ainsi environ 30 % plus cher que le prix affiché puisqu'il faut ajouter à peu près 15 % pour les taxes et autant pour le service.

Deux pour un : l'idée est de faire croire qu'on paie un seul plat pour les deux qu'on commande. À l'analyse, il s'avère soit que les exceptions sont si nombreuses (ça n'a lieu, dit le menu, que le mardi entre 17 h et 17 h 04) que ce n'est jamais vrai, soit que chaque plat coûte deux fois son prix.

Spécial : signifie « solde ». Dans certains magasins, tout est « spécial » et certaines étiquettes spécifient « grande liquidation » ou même « wow ! ».

Les pointes de pizza à 99 ¢ ne coûtent jamais 99 ¢.

Les queues de castor ne sont pas des queues de castor

(mais une sorte de pâte sucrée cuite dans la graisse). C'est le moment de se demander pourquoi les castors ont la queue plate (blague de trappeur)? Parce qu'ils se font sucer par les canards.

Les ventes trottoir: ce n'est pas parce que c'est dehors que c'est moins cher.

La poutine n'est pas un plat traditionnel québécois mais une invention de restaurant. Ce n'est pas parce que c'est mauvais que c'est québécois.

Les frais bancaires: il faut payer pour payer. Difficile d'économiser au pays des castors.

Les œufs bacon ne sont pas non plus le plat national américain historique mais une invention marketing des années 1930.

Appel 24 heures sur 24, 7 jours sur 7 signifie qu'une voix enregistrée vous répondra que «votre appel est important pour nous» avant de vous faire attendre deux à trois heures car il n'y a qu'un préposé pour tout le Québec (le Québec est trois fois plus grand que la France).

Le rabais postal consiste à vous faire payer la totalité d'une somme et à vous en rembourser une partie par envoi postal. La bonne question est: pourquoi ne pas rembourser tout de suite? La réponse: parce qu'on ne veut pas rembourser. Cette technique est basée uniquement sur l'espérance de la paresse des clients qui ne réclameront pas leur «rabais». Car premièrement le rabais n'est, en théorie, envoyé que cinq semaines après l'achat et deuxièmement il n'y a aucune chance que vous le receviez si vous ne les rappelez pas au moins deux fois.

Le téléphone cellulaire: dès l'instant où vous dites allô, vous acceptez les conditions qui suivent, auxquelles vous ne comprenez absolument rien et vous jurez que vous les avez lues: Bell Mobilité applique un taux d'intérêt de 26,82% pour tout solde impayé tandis que Telus crée une présomption de facturation acceptée si vous ne la contestez pas dans les 30 jours. Rogers stipule clairement en caractères minuscules qu'aucune déclaration d'un représentant des ventes ou d'un employé ne pourra modifier les conditions proposées. Telus peut interrompre votre contrat s'il estime qu'il est raisonnablement probable que des événements liés à votre perte de crédit se réalisent prochainement, ce qui n'empêche pas que vous devrez continuer à payer 20 $ par mois pour ne pas avoir de cellulaire, et Rogers peut suspendre le service en tous temps, point barre. Bien sûr, on peut aussi modifier votre forfait sans vous demander votre avis.

Il en est de même pour de nombreuses **cartes prépayées d'appels internationaux**. La source de profit majeure de ces cartes consiste dans le fait que la plupart des consommateurs ne les utilisent pas complètement. Ils achètent pour 5 $ mais ne consomment que pour 4,25 $. Par ailleurs, toute minute entamée est due ; on prétend que certaines cartes facturent les appels sans réponse ou mêmes occupés. Évitez les cartes sans frais de connexion qui surfacturent les premières minutes.

Les Air Miles et autres Pétro-Points : il faut plus de 800 points Air Miles pour s'offrir une paire de lunettes de soleil. Comme on obtient un point par tranches d'achat de 20 $, il faut 16 000 $ pour obtenir une paire de lunettes de 50 $. Non seulement ils nous prennent pour des cons, mais en plus ça marche.

La côte magnétique de Chartierville (Cantons-de-l'Est) : il faut accélérer pour descendre et freiner pour monter. Ça n'a rien de magnétique, c'est une illusion d'optique.

Les saucisses à hot-dog sont vendues par paquets de 10 mais les pains à hot-dog par paquets de 8.

Office de la protection du consommateur : *www. opc.gouv.qc.ca*

Sans une tune

(ou presque) à Montréal

(C'est arrivé aux meilleurs d'entre nous.)

Fraîchement débarqué...

À Kenny

Lire gratuitement : toutes les bibliothèques sont gratuites. L'hebdomadaire *Voir* est gratuit.

Internet gratuit : dans les **bibliothèques municipales** (il faut s'inscrire mais l'inscription est gratuite pour les résidents).

S'habiller : Armée du Salut *(514-488-8714)*

Se meubler : *idem*, spécialement rue Notre-Dame Ouest *(514-935-7425)*

Manger : Le café l'Itinéraire *(2101, rue Ste-Catherine E.)* est ouvert à toute personne dans le besoin (matin et midi). On peut aussi manger des insectes gratuitement à l'Insectarium *(514-872-1400)*.

Boire : l'eau est toujours gratuite.

Se parfumer : aller à **La Baie** ou chez **Jean Coutu**, et se parfumer au *tester*.

Se remonter le moral : se rappeler qu'un dollar canadien vaut 434,03664728 francs CFA.

Téléphoner en Europe : carte Globo sans frais (5 $ pour une heure environ). Ou appel « à frais virés ».

Se déplacer : métro gratuit quand il n'y a pas de contrôleur dans la guérite, c'est autorisé.

Se casser : le covoiturage est organisé par **Allo Stop**. On paie un droit d'inscription minime et un tarif par distances *(514-985-3032, www.allostopmontreal.com)*.

Se faire couper les cheveux : les écoles de coiffure cherchent des modèles. On peut se les faire couper pour 10 $ à l'**École Nicole Bisson** *(4248 rue Bélanger, 514-376-0229)* ou pour 7 $ à l'**École de coiffure Tornade** *(4675 rue St-Denis, 514-842-7222)*.

Retirer de l'argent de votre compte sans payer de frais bancaires : demander des espèces à la caissière de votre supermarché.

Gagner 25 ¢ : faire la tournée des téléphones publics pour récupérer les pièces oubliées. Il y a un pro près de chez moi qui fait ça tous les jours. Si vous n'en trouvez pas, c'est à cause de lui. Il se promène en vélo et porte un jogging bleu.

Gagner 20 $: chanter dans le métro. Il faut s'inscrire à la STM, on chante aux emplacements indiqués (sous la Lyre). La meilleure place est Berri-UQAM.

Gagner 1000 $: accepter de faire des tests de nouveaux médicaments avec **Algorythme Pharma** *(514-858-6312)*, **Anapharm** *(514-485-7555)* ou si vous êtes vraiment fauché *1-888-758-6312*.

Gagner 10 000 $, un voyage pour deux en Irlande, un appareil à fondue, une bande dessinée de *Boule et Bill* et de la pizza pendant 1 an : *www.quebecconcours.com* et *www.concoursweb.com*.

Rentrer en Europe : Air Transat aller simple.

Éviter de faire une énorme connerie : Suicide Action Montréal *(514-376-0900. L'appel est gratuit, évidemment).*

Aller à New York : prendre le bus *(se renseigner à la Station Centrale, 514-842-2281)* ou le train *(www.amtrak.com).*

En tout dernier recours : revendre ce bouquin à l'**Échange** *(713 av. du Mont-Royal E., 514-523-6389).*

Emprunter de l'argent par micro-crédit

Des associations peuvent vous prêter l'argent que les banques vous refusent si vous souhaitez vous lancer dans les affaires ou le social :

› **Association communautaire d'emprunt de Montréal (ACEM)** (3680 rue Jeanne-Mance, bureau 319, 514-843-7296, www.acemcreditcommunautaire.com)

› **Corporation de développement de l'Est / CDEST** (4435 rue de Rouen, 514-256-6825, poste 247, www.cdest.qc.ca).

› **Cercles d'emprunt de Montréal** (366 rue Victoria, bureau 7, 514-849-3271, www.cerclesdemprunt.com).

› **Aurora YMCA Notre-Dame-de-Grâce** (5925 av. Monkland, 514-481-5445).

La vie en dessous de zéro

Leçon de survie

Les **agences de recouvrement** ont seulement le droit de vous emmerder mais non celui de vous citer en justice. Elles ne peuvent vous appeler qu'entre 8 h et 20 h, ne peuvent pas vous déranger les dimanches et jours fériés et ne peuvent pas faire usage de menace. Il est légal d'interdire à une agence de vous appeler en l'informant que vous ne souhaitez que des communications écrites. En cas de problème, appeler l'**Office de la protection du consommateur** *(514-253-6556)*.

Après jugement de condamnation, une **saisie** est possible soit chez vous, soit dans les mains de votre employeur. Il existe ici comme ailleurs des « quotités insaisissables » qui sont

› pour les meubles et effets domestiques : protection jusqu'à une valeur de 6 000 $ (pratiquement, vous indiquez à l'huissier ce que vous voulez conserver jusqu'à concurrence de 6 000 $);

› les vases sacrés et autres objets de culte ;

› pour les salaires : le calcul est basé sur une quotité insaisissable et un pourcentage maximum de saisie.

La quotité insaisissable pour un isolé sans personne à charge est de 120 $ par semaine ; pour les autres, l'insaisissabilité est de 180 $ par semaine plus 30 $ pour chaque personne à charge au-dessus de deux.

Le pourcentage maximum est de 30 % du salaire brut.

Le maximum saisissable est donc de : 30 % (revenu brut − quotité insaisissable).

Ainsi, si vous avez une personne à charge et gagnez 300 $ par semaine, on ne peut saisir que :
30 % (300 $ − 180 $) = 36 $

La **faillite personnelle** est le dernier recours de protection contre les créanciers. Pour tous les détails, consulter un « syndic de faillite » qui fait office de curateur. Pratiquement, vous lui cédez vos biens saisissables afin de régler les créanciers. Un dépôt mensuel à la Cour et le paiement de frais judiciaires sont obligatoires. L'intérêt de la procédure ? Après neuf mois, vous recevez une « libération » et vos dettes sont effacées, à l'exception de certaines d'entre elles (pensions alimentaires, amendes, etc.).

Un numéro toujours utile : le **téléphone juridique**, proposant des infos préenregistrées à 1,50 $ la minute *(1-900-451-6096)*.

Ma **caravane**
au Canada

Fraîchement débarqué...

À *Krishnamurti*

D'accord, mais où trouve-t-on une cabane, au Canada ?

Premièrement, on n'appelle pas ça une cabane mais un chalet. Ce mot délicieux ne nous transporte-t-il pas immédiatement dans un havre de paix en bois, près de la petite maison dans la prairie où virevoltent et époussettent en sifflant Heïdi et Romy Schneider ? C'est pourquoi Krishnamurti a raison de dire dans *Se libérer du connu* qu'il faut se méfier de sa pensée.

Car « chalet » en québécois n'a rien à voir avec rien, c'est-à-dire désigne toute habitation secondaire pourvu qu'elle ne soit pas au centre-ville. On trouve, en vrac, des HLM, des bijoux, des horreurs, beaucoup de chaises en plastique et partout des lits superposés : bref, « chalet au Québec » signifie à peu près la même chose qu'« appartement à Paris ».

Mais à la différence de Paris, ici il y a la nature : le lac, sur lequel hurlent des bateaux à moteur dès sept heures en été, la radio des pêcheurs sur glace venus se ressourcer en hiver, et toute l'année ces petits restaurants typiques de la campagne où l'on sert la même chose qu'au McDo.

Donc, deux siècles plus tard, on comprend qu'il fallait dire « chalet en bois rond » pour désigner ce qu'on cherchait et « chalet-en-bois-rond-au-bord-d'un-lac-où-les-bateaux-à-moteur-sont-interdits » pour être précis. Bien sûr, on part aussitôt dans des délires de dollars car toutes les options dont, justement, on ne veut pas, nous sont offertes : air climatisé, bain tourbillon (en français *jacuzzi*), miroirs au plafond, foyer électrique et peau de mouton. À la fin, pourquoi les Québécois ne veulent-ils pas entendre que ce que nous cherchons est simplement : se prendre pour un trappeur, avoir une toque en raton laveur, couper le bois avec un air de survivant pendant que notre femme nous regarde par la fenêtre en se disant « quel homme ! », puis ramener une outarde à griller sur les bûches – pourvu que ça ne dure qu'une semaine ? Est-ce qu'il serait si difficile, par exemple, à l'heure où l'on sonde Mars, de nous faire rencontrer par hasard une squaw qu'il faut sauver de l'eau et qui tombe éperdument amoureuse pour 99,95 $ de supplément ? Ou, pour les Européennes, un bûcheron prenant sa douche tout nu sous des feuilles d'érable et qui les obligerait, sous la menace d'un couteau en plastique, à faire l'expérience Herbal Essence ?

Mais il est écrit qui cherche trouve. En cherchant calmement, et en exigeant des photos prises de loin, on trouve finalement le décor : au fond des forêts, des merveilles indescriptibles de beauté et de calme. Le clapotis du lac, le saut des truites à la tombée du jour, le parfum du bois de la maison, enfin la béatitude la plus complète que l'on puisse trouver sur la terre est à quelques kilomètres de l'endroit où vous êtes assis.

Leçon de survie

Si vous rencontrez quand même la **squaw** commencez par lui dire : « wachiya tanaytine ? » (bonjour, comment ça va ? en cri). En allant sur le traducteur du site ***www.eastcree. org/eastcree/fr/dictionary***, vous pourrez également apprendre à lui dire « J'aime la pizza » en kwakwala, malé-cite, mi'kmaq, mowhawk, siksila… Ce traducteur n'a pas non plus compris nos fantasmes.

Le bûcheron le plus connu au monde s'appelait **Louis Cyr**. Il était québécois et musclé : 138 kg de biceps, mollets, deltoïdes et poitrail. Il était fort : il soulevait une masse de 860 kg. Il sentait bon l'érable chaud. Mais bon, il est mort il y a presque 100 ans.

Presque tous les Québécois de souche ont de 5 % à 10 % de sang amérindien, selon Jacques Beaugrand, coprésident du projet ADN Héritage Français.

Est-ce que vous vous êtes déjà demandé pourquoi les **castors** font des barrages ? Moi non plus. Mais finalement, c'est pour, en élevant le niveau de l'eau, empêcher celle-ci de geler, ce qui leur permet d'entreposer leurs réserves de nourriture sous le barrage et d'habiter au-dessus.

La majorité des nations indiennes vivant au Québec n'ont jamais cédé leurs droits sur leurs terres ancestrales.

Si vous rencontrez quelqu'un qui vous raconte que les Indiens profitent du système, flanquez-lui ce tableau sous les yeux :

	Autochtones	Non autochtones
Taux de suicide au Canada	126 pour 10 000 habitants	24 pour 10 000 habitants
Taux d'emploi au Québec	51,3 %	60,3 %
Revenu moyen au Québec	24 187 $	32 176 $
Individus n'ayant aucun diplôme	44,2 %	24,8 %

Sources : Statistique Canada 2006 et Santé Canada

Les **Hurons** s'appellent comme ça à cause des Français qui s'étonnaient de leur coupe de cheveux et se seraient écriés : « Quelle hure ! » (les Français ont toujours des remarques intéressantes). Leurs descendants s'appellent des squeegees et attaquent les voitures pour salir leur pare-brise (ça coûte 25 ¢).

On compte près de 90 000 Amérindiens et Inuits au Québec.

Indien de Paris

*Vous pouvez devenir un Indien même si vous êtes un Parisien d'ascendance charentaise : il suffit de vous faire admettre au sein d'une Première Nation puis d'adresser une demande auprès du **bureau des Affaires indiennes et du Nord Canada** (819-997-0380, www.ainc-inac.gc.ca).*

> **Grey Owl**, le père de tous les Verts, a vécu à Cabano et un musée lui est dédié à Fort Ingall sur le lac Temiscouata.

> **Association des trappeurs Montréal/Laval/Montérégie** *(450-246-3747)*.

> Si vous souhaitez la vraie aventure du Nord : l'**association touristique des Cris**, dans le nord du Québec *(www.creetourism.ca)*.

> Si vous voulez seulement faire semblant : **Village de Tee-pee « La Bourgade »** *(www.labourgade.ca)*.

> Si vous préférez les cow-boys, la **Ferme du Joual Vair** organise des randonnées à cheval avec surveillance des bestiaux permettant de « se mesurer à la ruse bovine » *(3225 Rte 261, Ste-Gertrude, 1-819-297-2107)*.

> La Fédération des Trappeurs gestionnaires du Québec donne des **cours pour devenir trappeur** *(www.ftgq.qc.ca)*.

Moi-même je vous explique **comment préparer le castor**. C'est ben ben simple : il suffit de lui arracher les glandes et le gras, le faire tremper une nuit dans de l'eau vinaigrée, le placer dans une rôtissoire, puis le couvrir de lard, ensuite d'eau, saler, poivrer et l'affaire est faite.

Martine construit sa cabane

La construction « pièce sur pièce » consiste à superposer des pièces de bois les unes sur les autres en comblant les interstices de mousse. Cette ancienne technique du XVIIIe siècle a légèrement évolué car Martine peut maintenant construire une maison en béton, tout en la revêtant ensuite de faux rondins en caoutchouc dur. Elle peut également s'adresser à l'une des nombreuses entreprises spécialisées dans les chalets en kit : on lui livre le matos, et Martine (son mec évidemment) fait le reste. D'ailleurs le gros problème du vrai chalet en pleine nature, ce n'est pas ça : c'est la « bécosse » (*back-house*). Les fosses septiques et leur installation sont extrêmement réglementées au Québec car une mauvaise évacuation des eaux usées cause la perte des lacs.

Deux fois par an, le ministère des Ressources naturelles concède des terrains de 4 000 m² à des personnes tirées au sort. Elles sont louées pour 8 % de leur valeur marchande et l'on peut y construire son chalet. Pour connaître la date du prochain tirage des « terres de la Couronne » : ***www.mrnf.gouv.qc.ca***.

39

Manger, **voir**, danser, aimer, **vivre** Montréal

Fraîchement débarqué...

À Jérôme, Laurent, Anaïs, Éric, Marcel, Anne, Geneviève, Christine, ...

Vous ne me croirez pas mais vous le vivrez. Vous direz que c'est impossible, que ça n'arrivera jamais, que vous y penserez toujours. Mais voici la plus incroyable, la plus secrète vertu de Montréal : Montréal guérit du chagrin d'amour.

Est-ce à cause du fleuve Saint-Laurent qui nettoie, du froid qui purifie, du printemps qui crée ? Du vent qui emporte, de la neige qui renouvelle, de l'insouciance des écureuils ? Demandez à ceux qui sont venus ici, le cœur pixellisé, l'estomac blessé, et dans l'espoir dernier de changer une vie mal fagotée. Regardez-les maintenant. Il faut sans doute faire son voyage de noces à Venise, mais il faut soigner son divorce à Montréal. Cette ville, peut-être ce pays en entier, recèle une force unique de régénération : regardez le froid que supportent la flore et la faune, les écarts extrêmes qu'elles endurent. Tout le monde ici passe de la contraction des gla-gla à la dilatation de la chaleur. Alors vous aussi. C'est une promesse.

20 expériences inoubliables que vous ne ferez qu'ici

1. La gentillesse des Montréalais, qui est légendaire, n'est pas une légende : **entrer** dans n'importe quel magasin permet d'en faire l'expérience vivante.

2. Patiner dans le parc La Fontaine, **skier** ou **glisser** sur le mont Royal à la nuit tombée, **faire du vélo** sur la piste du Canal de Lachine. En plein centre-ville…

3. **Assister** à un match de hockey à la Cage aux Sports. Les indigènes font ça en arrachant des **ailes de poulet** avec leurs dents.

4. **Manger** deux œufs saucisse devant des **seins nus** à 8 heures du matin. Vite avant que ça ferme ! Les Princesses d'Hochelaga *(4970 rue Hochelaga, 514-255-0003)*

5. **Sortir du Plateau et monter l'expédition suivante** : parcourir la rue Sherbrooke d'est en ouest. Un voyage dans l'histoire franco-pauvre (est)/anglo-riche (ouest) de Montréal.

6. **Explorer la forêt naturelle** de Montréal. Le Bois-de-Saraguay, la dernière forêt naturelle de l'île, se trouve à l'est de l'autoroute 13, dans l'arrondissement Ahuntsic-Cartierville.

7. **Manger** une poutine à La Banquise à 2 heures du matin et aller dormir en pensant qu'il est déjà 9 heures à Paris.

8. Croiser des **gicleurs siamois**. Vous découvrirez tout seul s'il s'agit d'une attraction du Cirque du Soleil, d'une sorte d'obsédés sexuels ou de lamas transgéniques car si je vous dis tout, vous perdrez l'avantage de la surprise.

9. Patiner sur le lac aux **Castors** du parc du Mont-Royal, boire un chocolat chaud dans le chalet puis goûter une queue de **castor** à La Ronde en regardant le **castor** qui se trouve sur les pièces de 5 ¢, accompagné d'une femme parfumée avec *Magie Noire* (Lancôme) ou *Givenchy III* qui contiennent le produit des glandes du **castor** situées entre l'anus et les parties génitales, le castoreum.

10. **Danser** un « set carré » au Marché Maisonneuve : des gens de tous âges essaient, moi y compris, de suivre les pas de danse des profs qui gigotent à côté de la sono.

11. **Se demander « ça-s'peux-tu ? »** devant la pinte de lait géante **Guaranteed Pure Milk** à l'angle du boulevard René-Lévesque et de la rue Crescent, heureusement sauvée par Héritage Montréal *(www.heritagemontreal.org)*.

12. **Habiter rue Adolf Hitler** ou à peu près : la rue Amherst (qui relie les rue Saint-

Antoine et Sherbrooke) a été nommée en hommage à Jeffery Amherst, qui suggéra d'utiliser la variole comme arme de guerre en contaminant des couvertures de laine destinées aux Amérindiens.

13. Acheter un *bagel* **chaud** rue Saint-Viateur.

14. Descendre le boulevard **Saint-Laurent** le samedi soir pour voir à quel point Montréal est multiethnique.

15. Attirer un **raton laveur** dans son appartement. Il suffit de laisser les fenêtres ouvertes et de déposer de la nourriture pour chats dans des assiettes sales. Ils démoliront tout, et ils ne feront pas la vaisselle, c'est charmant.

16. Prendre à vélo ou à pied le pont de la Concorde depuis l'île Sainte-Hélène vers Montréal. Au coucher du soleil, la ville ressemble à **Manhattan**...

17. Observer comme les Québécois se précipitent pour faire la vaisselle après que les Québécoises leur ont préparé un dîner : comment comprendre la condition de l'homme d'ici en deux secondes et sans lecture.

18. Pédaler sur un circuit de Formule 1 à l'île Sainte-Hélène.

19. Faire du **rafting** et du **surf** dans les rapides de Lachine.

20. Dire «Tabarnak!» en tombant dans un **nid-de-poule**. Le jour où ça vous arrivera, vous serez Montréalais...

Vous avez vécu une **expérience montréalaise authentique** ? Partagez-la à *texte@ulysse.ca*. Elle pourrait se retrouver dans la prochaine édition du guide !

We made it !

Fraîchement débarqué...

Aux suivants

Nous avons fait ce que la plupart des Européens n'osent pas faire : nous avons émigré. Nous avons tout laissé tomber en Europe et nous sommes venus. Non pas à cause de la guerre, de la misère ou de la politique ; mais nous sommes tous venus pour une raison particulière, fiscale, sentimentale, financière. Peu importe : tous les émigrés ont une histoire secrète et elle leur appartient. Beaucoup d'entre nous, quand on leur a demandé à la douane ce qu'ils avaient à déclarer, auraient pu dire : j'ai à déclarer que la vie est injuste et que je viens en faire une nouvelle.

On l'a fait. On l'a peut-être mal fait mais on l'a fait. On ne vit peut-être pas – encore – comme on l'avait rêvé et nous n'avons pas trouvé notre cabane au Canada. Mais on y est ! À midi, il est déjà six heures en Europe ; nous vivons quand ils dorment. Et toujours, ici, c'est cette luminosité de ce ciel immense qui nous fait dire à tous : je l'ai fait et j'avais raison.

Ça n'a pas été facile. Il y a des moments où l'on se pose des questions sur sa santé mentale, son sens des responsabilités. Nous avons vécu des moments difficiles, à trouver des amis québécois, un appartement et de l'argent. De l'argent ! Ces grandes dépenses du début dans le souci de bien s'installer ; les pourboires généreux dans l'enthousiasme de Montréal ; puis ce léger doute Interac au moment où la carte passe chez Provigo ; l'angoisse quand on reçoit le solde du compte. Et la question qui suit immédiatement : comment je fais demain ? Et pourquoi ai-je tant gaspillé il y a un mois ?

Ceux qui nous jugent nous envient. Ils trouvent que, pour nous, c'était facile. C'est toujours facile pour les autres. Mais nous, on l'a fait. On a pris larmes et bagages et on est partis. Ils disent aussi qu'il ne suffit pas d'émigrer pour échapper à ses démons. La plupart des gens qui restent ont d'excellentes raisons de le faire. S'ils avaient émigré avec nous, je pense que nous serions revenus d'où ils venaient : car c'est eux que l'on quittait.

Qui d'entre nous regrette d'être ici ? Personne. Ceux qui regrettent sont ceux qui ne sont pas venus, comme on déplore, après un mois d'août en Corse, de vivre à Lille : mais pourquoi ne pas rester en Corse ?

Alors merci à tous ces gens du Québec que nous venons envahir et qui n'ont rien demandé, merci à leur gentillesse peut-être unique au monde. Merci à la neige pour les Noëls blancs, merci aux écureuils de nous émerveiller, merci aux dépanneurs, aux taxis, aux parcs et aux fontaines. Du fond du cœur, merci. Mais comment fait-on pour mémoriser son code postal ?

Numéros utiles

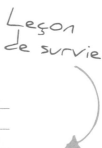

Leçon de survie

Hydro-Québec urgence	1-800-790-2424
Maman	
Météo	514-283-3010
Mon code postal	
Police	911
Renseignements téléphoniques	411
Services municipaux	311
Accès santé	811

Pour joindre l'auteur, le féliciter, lui faire une *standing ovation* ou lui proposer le prix Nobel de littérature : *hubert@hubertmansion.com*.

Index

Ouvrages consultés
et **bibliographie**

Le plus important de tous

> Aïvanhov, Omraam Mikhaël, *Règles d'or pour la vie quotidienne*, Prosveta, 1988.

Des ouvrages essentiels

> Bizier, Richard / Nadeau, Roch, *Répertoire des fromages du Québec*, Trécarré, 2008.

> Collectif, *L'état du Québec 2009*, Fides, 2009.

> Demers, Sylvie, *Hormones au féminin : repensez votre santé*, Éditions de l'Homme, 2008.

> Faucher, Jacques, *La cuisine québécoise*, Éditions de l'Homme, 2009.

> Gendron, Jean-Denis, *D'où vient l'accent des Québécois ? Et celui des Parisiens ? Essai sur l'origine des accents*, Presses de l'Université Laval, 2007.

> Laframboise, Yves, *Villages pittoresques du Québec*, Éditions de l'Homme, 2004.

> Larivière, Louise-L. / Schurr, Jean-Eudes, *Je suis Montréal*, Éditions de l'Homme, 2004.

> Lion, Valérie, *Irréductibles Québécois*, Éditions des Syrtes, 2005.

> Mansion, Hubert, *101 mots à sauver du français d'Amérique*, Michel Brûlé, 2008.

> Montel-Glénisson, Caroline, *Un Tour de France canadien*, Septentrion, 2008.

> Nadeau, Jean-Benoît, *Les Français aussi ont un accent*, Payot, 2004.

> Pilleul Gilbert / De Raymond, Jean-François / Dufaux, François / Collectif, *Les Premiers Français au Québec*, Archives & Culture, 2008.

> Sylvestre, Jean-Pierre, *Splendeurs sauvages du Québec*, Éditions de l'Homme, 2008.

Des guides en tout genre

> Collectif, *Québec*, Gallimard, 2010.

> Collectif, *Québec et Provinces maritimes*, Routard, 2010.

> Collectif, *The Anglo guide to survival in Québec*, Eden Press, 1983.

> Nadeau, Laurence, *S'installer et travailler au Québec*, L'Express, 2009.

> Péladeau, Isabelle, *De bouche à oreille*, Trécarré, 2005.

> Phillips, Sandra, *Le Consommateur Averti Montréal*, 2007.

Des guides de voyage Ulysse

> Aïnouche, Linda, *Le tour du monde à Montréal*, Guides de voyage Ulysse, 2008.

> Collectif, *Fabuleux Montréal*, Guides de voyage Ulysse, 2007.

> Collectif, *Le Québec*, Guides de voyage Ulysse, 2010.

> Collectif, *Les plus belles escapades à Montréal et ses environs*, Guides de voyage Ulysse, 2006.

> Collectif, *Montréal*, Guides de voyage Ulysse, 2010.

> Collectif, *Montréal en métro*, Guides de voyage Ulysse, 2007.

> Collectif, *Montréal au fil de l'eau*, Guides de voyage Ulysse, 2008.

> Collectif, *Montréal en tête*, Guides de voyage Ulysse, 2008.

> Collectif, *Plaisirs du Vieux-Montréal*, Guides de voyage Ulysse, 2009.

> Nascivet, Francine, *Beau, belle et bio à Montréal*, Guides de voyage Ulysse, 2009.

> Ouin, Christine / Pratte, Louise / Biet, Pascal, *Mon premier guide de voyage au Québec*, Guides de voyage Ulysse, 2009.

> Séguin, Yves, *Marcher à Montréal et ses environs*, Guides de voyage Ulysse, 2009.

> Vinet, Jean-François, *Étudier à Montréal sans se ruiner*, Guides de voyage Ulysse, 2010.

Des magazines culturels hebdomadaires

> *Hour*

> *Voir*